#시험대비
#핵심정복

7일 끝
시험 대비
구문 기초

Chunjae
Makes
Chunjae

▼

| 편집개발 | 고명희, 김창숙 |
| 제작 | 황성진, 조규영 |

발행일	2021년 4월 15일 초판 2021년 4월 15일 1쇄
발행인	(주)천재교육
주소	서울시 금천구 가산로9길 54
신고번호	제2001-000018호
고객센터	1577-0902
교재 내용문의	(02)3282-8837

7일 끝으로 끝내자!

7 고등 영어 구문

BOOK 1

이 책의 구성과 활용

일별 시험 공부

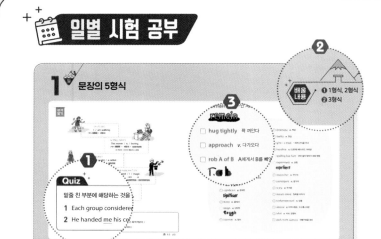

생각 열기 + 단어 미리 보기

만화와 함께 본격적인 공부에 앞서 학습 내용을 가볍게 짚고 넘어갈 수 있습니다.

❶ Quiz | 간단한 퀴즈를 통해 기본적인 내용을 알고 있는지 확인하기
❷ 배울 내용 | 오늘 공부할 학습 내용 확인하기
❸ 단어 미리 보기 | 오늘 학습에 필요한 단어 확인하기

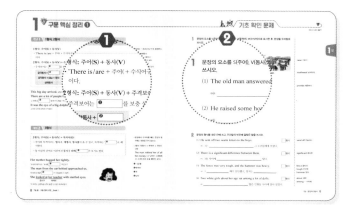

구문 핵심 정리 + 기초 확인 문제

꼭 알아야 구문 핵심 내용을 공부하고, 기초 확인 문제를 통해 개념을 잘 이해했는지 꼼꼼히 확인할 수 있습니다.

❶ 구문 핵심 정리 | 빈칸 문제를 채우며 핵심 내용 체크하기
❷ 기초 확인 문제 | 구문 핵심 정리 내용에 대한 기초 확인 문제 풀기

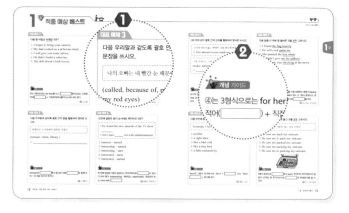

적중 예상 베스트

학교 시험 유형의 대표 예제를 연습하여 학교 시험에 효과적으로 대비할 수 있습니다.

❶ 기출 지문 활용 | 전국연합학력평가의 기출 지문을 활용하여 학교 시험 문제 유형 익히기
❷ 개념 가이드 | 빈칸을 채우며 문제를 푸는 데 도움이 되는 개념 확인하기

시험 공부 마무리 테스트

누구나 100점 테스트

아주 쉬운 예상 문제로 100점에 도전하여 시험에 대한 자신감을 키울 수 있습니다.

창의·융합·서술·코딩 테스트

쉽고 다양한 서술형 문제를 통해 어렵게 느껴지는 서술형 문제에 대한 자신감을 키울 수 있습니다.

학교 시험 기본 테스트

학교 시험 유형의 예상 문제를 풀어 봄으로써 내신에 대한 자신감을 키울 수 있습니다.

시험 직전까지 챙겨야 할 부록

◈ 핵심 정리 총집합 카드

가장 중요한 핵심 내용만 모아 카드 형식으로 수록하였습니다. 휴대하여 이동할 때나 시험 직전에 활용할 수 있습니다.

◈ 어휘 목록 / 어휘 테스트

7일 동안 학습한 어휘를 정리하고 테스트를 통해 확인할 수 있도록 했습니다.

이 책의 차례

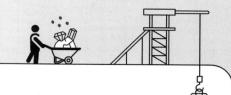

문장의 5형식

일

1

생각 열기

나는 걷고 있다.
I / am walking.
1형식 S(주어) + V(동사)

이 영화는 지루하다.
This movie / is / boring.
2형식 S(주어) + V(동사) + SC(주격보어)
(주격보어: 주어의 행동이나 상태)

소녀는 토끼를 잡았다.
The girl / caught / a rabbit.
3형식 S(주어) + V(동사) + O(목적어)

John은 나에게 마술을 보여 주었다.
John / showed / I / magic.
　　　　　　　　~에게　　…을
4형식 S(주어) + V(동사) + IO(간접목적어) + DO(직접목적어)

우리는 그 책이 지루하다는 것을 알았다.
We / found / the book / boring.
5형식 S(주어) + V(동사) + O(목적어) + OC(목적격보어)
(목적격보어: 목적어의 행동이나 상태)

Quiz

밑줄 친 부분에 해당하는 것을 괄호에서 고르시오.

1 Each group considered the other <u>an enemy</u>. (① 목적어　② 목적격보어)

2 He handed <u>me</u> his cell phone. (① 직접목적어　② 간접목적어)

답 1 ②　2 ②

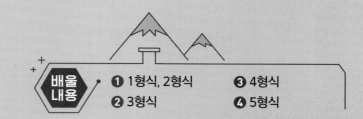
단어 미리 보기

check~

- [ ] remain *v.* ~인 채로 있다
  remain
- [ ] hug tightly 꽉 껴안다
- [ ] approach *v.* 다가오다
- [ ] rob A of B A에게서 B를 빼앗다
  rob
- [ ] raise *v.* 기르다
- [ ] southwest *a.* 남서부의
- [ ] provide A with B A에게 B를 제공하다
- [ ] send off *v.* 전송하다
- [ ] significant *a.* 중요한
  significant
- [ ] fence *n.* 울타리
- [ ] tough *a.* 단단한
  tough
- [ ] hammer *n.* 망치

- [ ] deskmate *n.* 짝꿍
- [ ] reality *n.* 현실
- [ ] give ~ a treat ~에게 간식을 주다
- [ ] headline *n.* (신문의) 헤드라인, 머리글
- [ ] spelling bee hero 단어 철자 맞히기 대회 영웅
- [ ] experiment *n.* 실험
  experiment
- [ ] researcher *n.* 연구자
- [ ] participant *n.* 참가자
- [ ] scary *a.* 무서운
- [ ] remain silent 침묵을 지키다
- [ ] embarrassment *n.* 당황
- [ ] absurd *a.* 터무니없는, 우스꽝스러운
- [ ] idiot *n.* 바보, 멍청이
- [ ] pack one's suitcase 여행가방을 싸다

1 구문 핵심 정리 ①

개념 1 · 1형식, 2형식

> **1형식: 주어(S) + 동사(V)**
> · 'There is/are + 주어(+ 수식어구)' 구문: 1형식 문장으로 '~이 (…에) 있다.'라는 뜻이다.
>
> **2형식: 주어(S) + 동사(V) + 주격보어(SC)**
> · 주격보어는 **❶[   ]** 를 보충 설명하고 형용사나 명사를 쓴다.
>
> | 감각동사 + **❷[   ]** | look, sound, smell, taste, feel 등 |
> |---|---|
> | 감각동사 + like + 명사 | |
> | 상태동사 | be, become, keep, get, turn, remain, stay 등 |

This big day arrived. 대망의 **❸[   ]** 왔다.

There are a lot of people back there waiting to get in.
그 뒤에서 **❹[   ]** 들어가기 위해 기다리고 있다.

It was the eye of a big dolphin.
그것은 큰 돌고래의 눈이었다.

- 주어는 '~은/는/이/가'로 해석한다.
- 2형식 상태동사
  become ~해지다
  get ~한 상태가 되다
  turn ~로 변하다
  remain ~인 채로 있다
  stay ~인 채로 있다

❶ 주어

❷ 형용사

❸ 날이

❹ 많은 사람들이

개념 2 · 3형식

> **3형식: 주어(S) + 동사(V) + 목적어(O)**
> · 주어와 목적어로는 명사구, 대명사, 명사절이 올 수 있고, 목적어는 '**❺[   ]**'로 해석한다.
> · 둘 이상의 단어로 이루어진 동사구 뒤에 **❻[   ]** 가 오기도 한다.

Her mother hugged her tightly.
그녀의 어머니는 그녀를 **❼[   ]** 껴안았다.

The man from the car behind approached us.
뒤차에서 내린 **❽[   ]** 가 우리에게 다가왔다.

She looked at her teacher with startled eyes.
　　　동사구　　목적어
그 여자는 선생님을 깜짝 놀란 눈으로 쳐다보았다.

- 문장에서 수식어를 빼도 문장의 형식에는 영향을 주지 않는다.
- 3형식 '타동사 + 목적어 + 전치사' 구문
  The man *robbed* her *of* all her money. (그 남자는 그녀에게서 그녀의 모든 돈을 빼앗아 갔다.)

❺ ~을/를

❻ 목적어

❼ 꼭

❽ 남자

1일

1 문장의 요소를 S(주어), V(동사), C(보어), O(목적어), M(수식어)으로 표시한 후, 문장을 우리말로 쓰시오.

(1) The old man answered in three words.

➡ _____

(2) He raised some horses and cows in his farm.

➡ _____

raise 기르다

(3) Nauru is an island country in the southwest Pacific Ocean.

➡ _____

southwest 남서부의

(4) Bees provide us with honey.

➡ _____

provide 제공하다

2 문장의 형식을 네모 칸에 쓰고, 우리말의 빈칸에 알맞은 말을 쓰시오.

(1) He sent off two warm letters to the boys. ☐ 형식

➡ 그는 _____ 그 소년들에게 보냈다.

send off 전송하다

(2) There is a significant difference between them. ☐ 형식

➡ 그들 사이에 _____ 있다.

significant 중요한

(3) The fence was very tough, and the hammer was heavy. ☐ 형식

➡ 그 _____ 매우 단단했고, 망치는 _____ .

fence 울타리
tough 단단한
hammer 망치

(4) Two white girls about her age sat among a lot of dolls. ☐ 형식

➡ _____ 많은 인형들 사이에 앉아 있었다.

about 대략
among ~ 사이에

1일 구문 핵심 정리 ❷

개념 3 | 4형식

4형식: 주어 + 동사 + 간접목적어(IO) + 직접목적어(DO) (~에게 …을 해 주다)
- 간접목적어는 보통 **사람**(~에게)을, 직접목적어는 **❶ [   ]** (…을)을 쓴다.
- 4형식에 주로 쓰이는 동사로는 give, make, tell, bring, show, send, teach, lend, ask 등이 있다.
- 4형식 문장을 to/for/of 등의 **❷ [   ]** 를 사용하여 3형식으로 바꾸어 쓸 수 있다.

S	+	V	+	IO(사람)	+	DO(사물)

S	+	V	+	DO(사물)	+	전치사	+	IO(사람)

I showed my deskmate the cell phone.
나는 내 **❸ [   ]** 휴대 전화를 보여 주었다.

I sent my parents the thank-you letter.
= I sent the thank-you letter to my parents.
나는 부모님께 **❹ [   ]** 보냈다.

● 4형식을 3형식 문장으로 전환 시 동사와 함께 쓰이는 전치사

to	give, send, bring, pass, show, teach, tell, write, sell
for	buy, cook, find, make, get, build
of	ask

❶ 사물
❷ 전치사

❸ 짝꿍에게

❹ 감사 편지를

개념 4 | 5형식

5형식: 주어 + 동사 + 목적어(O) + 목적격보어(OC)
- 목적격보어는 목적어를 보충 설명한다.
- 사역동사 have, let, make는 **❺ [   ]** 로 동사원형이 온다.
- 지각동사 see, watch, hear, feel, listen to 등은 목적격보어로 **❻ [   ]** 이나 현재분사가 온다.

My friends call Mina a tomboy. 내 친구들은 미나를 **❼ [   ]** 라고 부른다.
└─ 주어와 술어 관계 ─┘

Your mind **makes** your last thoughts part of reality.
당신의 마음은 당신의 마지막 생각을 **❽ [   ]** 의 일부로 만든다.

I **made** him **fix** the phone.
나는 그에게 전화기를 고치게 했다.

● 목적어와 목적격보어의 관계가 수동 관계이면 목적격보어로 과거분사를 쓴다.

❺ 목적격보어

❻ 동사원형

❼ 말괄량이

❽ 현실

정답과 해설 **64**쪽

1일

3 문장의 요소를 S(주어), V(동사), SC(주격보어), O(목적어), OC(목적격보어), IO(간접목적어), DO(직접목적어), M(수식어)으로 표시한 후, 문장을 우리말로 써 보시오.

(1) He passed the ball to Owen.

➚ _____

pass 건네다

(2) I gave your puppy a treat.

➚ _____

give ~ a treat ~에게 간식을 주다

(3) Newspaper headlines called the man a "spelling bee hero." ✎고1 3월 응용

➚ _____

headline (신문의) 헤드라인, 머릿글

spelling bee hero 단어 철자 맞히기 대회 영웅

(4) Many people are listening to Jane play the flute on the street.

➚ _____

4 문장의 형식을 네모 칸에 쓴 후, 빈칸에 알맞은 말을 쓰시오.

(1) In an experiment, researchers handed participants that photo. ☐형식

➚ 한 실험에서, 연구자들은 _____.

experiment 실험
researcher 연구자
participant 참가자

(2) I told people a scary story. ☐형식

➚ 나는 사람들에게 _____ 말해 주었다.

scary 무서운

(3) The land made travel so difficult. ☐형식

➚ 그 땅은 _____ 매우 _____ 만들었다.

(4) I saw you eat alone in the restaurant yesterday. ☐형식

➚ 난 당신이 어제 _____ 걸 봤답니다.

alone 혼자서

1일 적중 예상 베스트

대표 예제 1

다음 중 어법상 <u>어색한</u> 것은?

① I forget to bring your camera.
② My dad cooked us a delicious meal.
③ I will give you some advice.
④ He didn't build a robot her.
⑤ The doll doesn't look lovely.

개념 가이드

④는 3형식으로는 for her를 쓰고, [   ]형식으로는 '간접목적어([   ]) + 직접목적어(사물)'의 순서로 써야 한다.

답 4, 사람

대표 예제 3

다음 우리말과 같도록 괄호 안의 표현을 바르게 배열하여 문장을 쓰시오.

> 나의 오빠는 내 빨간 눈 때문에 나를 토끼라고 불렀다.

(called, because of, my brother, me, a rabbit, my red eyes)

➡ _____

개념 가이드

5형식(S + V + O + OC) 문장으로 주어는 [   ]이고, 목적어는 me, 목적격보어는 [   ]이다.

답 My brother, a rabbit

대표 예제 2

다음 우리말과 같도록 괄호 안의 말을 활용하여 영어로 쓰시오.

> 학생들은 도서관에서 침묵을 지켰다.

(remain, silent, library)

➡ _____

개념 가이드

remain은 [   ]형식 동사로 뒤에 [   ]와 함께 쓰여 '~인 채로 있다'의 뜻이다.

답 2, 형용사

대표 예제 4

빈칸에 알맞은 말이 순서대로 짝지어진 것은?

> • He found the new episode of the TV show _____.
> • Jim's face _____ red with embarrassment.

① interest – turned
② interesting – turned
③ interesting – turn
④ interested – turns
⑤ interested – turned

개념 가이드

첫 번째 문장은 5형식 문장이고 목적격보어로 [   ]나 명사가 와야 한다. interesting: 재미있는, interested: 관심있어 하는, turn red: [   ]

답 형용사, 빨개지다

대표 예제 5

〈보기〉와 같이 괄호 안의 단어를 활용하여 영어로 쓰시오.

● 보기 ●

그녀의 터무니없는 변명이 나를 화나게 만들었다.

➡ Her absurd excuse made me upset.

그의 콘서트는 그의 부모를 행복하게 만들었다.
(make, parents)

➡ _____

개념 가이드

보기의 문장은 [　　　]형식 문장이고, 목적어와 목적격보어는 주술 관계로 목적격보어는 [　　　]를 보충 설명하거나 동격이다.

답 5, 목적어

대표 예제 6

다음 빈칸에 들어갈 말로 알맞지 <u>않은</u> 것은?

Yesterday I felt _____.

① terrible
② a right idiot
③ like a bad cold
④ like a tiny bird
⑤ a little melancholy

개념 가이드

feel은 2형식 감각동사로 'feel + [　　　]' 또는 'feel [　　　] + 명사'를 쓴다.

답 형용사, like

대표 예제 7

다음 밑줄 친 부분 중 올바른 것을 <u>모두</u> 고르시오.

① I found <u>the bag heavily</u>.
② He will cook <u>pasta me</u>.
③ She painted the <u>box white</u>.
④ He didn't give <u>me his address</u>.
⑤ Everybody was <u>shocking</u> at the news.

개념 가이드

① 5형식으로 목적어 [　　　]을 보충 설명하는 형용사 heavy를 쓴다. ② 3형식으로 for me로 써야 한다. ⑤ 1형식 문장이고, 모든 사람이 충격을 받았으므로 과거분사형 [　　　]를 쓴다.

답 the bag, shocked

대표 예제 8

우리말을 영어로 바르게 옮긴 것을 <u>모두</u> 고르시오.

그는 내가 여행 가방을 싸는 것을 보았다.

① He saw me pack my suitcase.
② He saw me to pack my suitcase.
③ He saw me packed my suitcase.
④ He saw me packing my suitcase.
⑤ He saw me to packing my suitcase.

개념 가이드

5형식 문장으로 [　　　]동사 see는 목적어와 목적격보어가 능동의 관계일 때 목적격보어로 [　　　]과 현재분사를 쓸 수 있다.

답 지각, 동사원형

2 일 주어 찾기

명사 주어
Painting can be very therapeutic.
그림 그리기는 긴장을 푸는 데 아주 도움이 된다.

대명사 주어
My lovely puppy and I walk every morning.
나의 사랑스러운 강아지와 나는 매일 아침 산책을 한다.

동명사 주어
Being without water for ten hours was a
learning experience.
10시간 동안 물 없이 지내는 것은 배움의 경험이었다.

명사절 주어
That I have more friends than he
makes him jealous.
내가 그보다 친구가 더 많다는 것이 그를 질투하게 만들었다.

to부정사구 주어
To use a gift box only once is a waste.
선물 상자를 한 번만 사용하는 것은 낭비이다.

Quiz

밑줄 친 부분에 해당하는 주어의 종류를 괄호에서 고르세요.

1 <u>Her smile</u> made me feel good. (① 명사 주어   ② 동명사 주어)

2 <u>Climbing stairs</u> provides a good workout. (① 명사 주어   ② 동명사 주어)

답 1 ① 2 ②

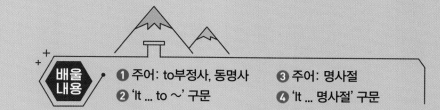
단어 미리 보기

check~

- [ ] experience *n.* 경험
  experience
- [ ] keep -ing 계속해서 ~하다
- [ ] realize *v.* 깨닫다
- [ ] impression *n.* 인상
- [ ] understanding *n.* 이해
- [ ] continent *n.* 대륙
  continent
- [ ] control *n.* 통제
- [ ] circumstance *n.* 사정
  circumstance
- [ ] unfairly *ad.* 불공평하게
- [ ] violate *v.* 위반하다
- [ ] disappearance *n.* 실종
- [ ] established *a.* 확립된
- [ ] affect *v.* 영향을 주다
  affect

- [ ] unbelievable *a.* 믿을 수 없는
- [ ] matter *v.* 상관하다
- [ ] eating habit 식습관
- [ ] horror *n.* 공포
  horror
- [ ] screen *v.* 상영하다
- [ ] assimilate *v.* 동화시키다
- [ ] bothersome *n.* 성가신 일
- [ ] rumor *v.* 소문내다
- [ ] complex *a.* 복잡한
  complex
- [ ] nonsense *n.* 헛소리, 터무니없는 말
- [ ] argument *n.* 논쟁
- [ ] capacity *n.* 수용력, 능력
  capacity
- [ ] dissipate *n.* 소멸하다

개념 1 주어: to부정사, 동명사

- '주어'는 동작이나 상태의 주체가 되는 말로, **명사(구)**, **대명사**, **to부정사**, **동명사** 등이 주어 자리에 올 수 있다.
- 명사, to부정사, 동명사에 관사나 수식어구가 붙은 **❶ [　　　]** 가 주어 자리에 올 수 있다.
- to부정사구나 동명사구가 주어이고 현재 시제일 때 동사는 **❷ [　　　]** 가 온다.

My cat always sits on that cushion.
❸ [　　　] 는 항상 저 쿠션에 앉아 있다.

Eating a good breakfast is very nice.
든든한 아침을 먹는 것은 정말 좋다.

To dream is an experience common to all people.
꿈을 꾸는 것은 모든 사람에게 흔한 **❹ [　　　]** 이다.

- to부정사나 동명사로 시작하고 '~하는 것은'으로 해석되면 주어이다.

❶ 명사구

❷ 단수동사

❸ 내 고양이

❹ 경험

개념 2 'It ... to ~' 구문

- 가주어-진주어 구문: to부정사, 동명사 주어가 길어지면 **❺ [　　　]** it을 써서 'It~ to부정사구/동명사구...' 구문을 사용한다.
- 문장이 항상 '주어 + 동사'로 시작하지는 않는다. 문장 앞에 수식어가 와서 **❻ [　　　]** 가 중간에 묻히기도 한다.

It is important to keep trying.
계속해서 하는 것이 **❼ [　　　]** 하다.

Great was my surprise when I realize that.
그것을 깨달았을 때 나의 **❽ [　　　]** 은 대단했다.

❺ 가주어

❻ 주어

❼ 중요

❽ 놀라움

2일

1 문장의 주어를 찾아 밑줄을 긋고, 주어를 우리말로 해석하시오.

(1) Being on time will help you make a good first impression.

   ➡ _____

impression 인상

(2) To be a good friend is to offer true understanding at all times.

   ➡ _____

offer 제공하다
understanding 이해

(3) Throughout the continent, the voices of Asia are saying goodbye to Western control, politically, culturally, and economically.

   ➡ _____

continent 대륙
voice 소리
say goodbye to ~에게 작별 인사를 하다
control 통제
purse 지갑

(4) The purse designed by the famous painter is very popular.

   ➡ _____

2 우리말과 같도록 괄호 안의 표현을 배열하여 문장을 완성하시오.

(1) 어떠한 사정이 있다고 해도 나는 네가 거기에 가는 것을 허락하지 않을 것이다.

(will, you, to, I, go, allow)

   ➡ In no circumstances _____ there.

circumstance 사정, 환경

(2) 사람들을 불공평하게 대우하는 것은 그들의 인권을 침해하는 것이다.

(unfairly, people, to, treat, is)

   ➡ _____ to violate their human rights.

unfairly 불공평하게
treat 대하다, 대접하다
violate 위반하다

(3) 이따금씩 약간의 쿠키를 가지고 오는 것은 충분하다.

(some, while, bringing, in, a, cookies, in, once)

   ➡ _____ is enough.

(4) 그 아이의 실종 이후, 아이의 생사에 대한 엄마의 공포가 그녀를 뜬눈으로 밤을 지새우게 했다. (fear, for, life, mother's, his, his)

   ➡ After the child's disappearance, _____ kept her awake all night.

disappearance 실종
keep awake 계속 깨어 있다

2일 구문 핵심 정리 ②

개념 3 ᐳ 주어: 명사절

• 주어로 쓰이는 명사절

접속사 that절	that절은 확실한 정보를 나타낸다. that 뒤에는 완전한 문장이 온다.
접속사 whether절	whether절은 불확실한 정보를 나타낸다.
의문사절	의문사절(who, what, which, when, where, why + 주어 + 동사) 은 주어 자리에 올 수 있고, 의문사에 따라 해석이 달라진다.
관계대명사 what절	❶ [ ] 를 포함하고 있으므로 what 뒤에는 불완전한 문장이 온다.

• 명사절이 주어로 올 때 동사는 ❷ [ ] 동사를 쓴다.

• 절이 문장의 주어일 때 접속사나 의문사 바로 뒤에 오는 '주어 + 동사'는 절에 속한 것이고, 문장의 동사는 그 다음에 나온다.

• 의문사절의 what은 '무엇을, 무엇이'로 해석하고, 관계대명사 what은 '~하는 것은'으로 해석한다.

❶ 선행사

❷ 단수

That water boils at 100°C is an established fact.
물이 100°C에서 끓는다는 것은 ❸ [ ] 사실이다.

Whether we need it or not is a different story.
우리가 그것을 필요로 하는지 안 하는지는 별개의 ❹ [ ] 이다.

if절은 주어 자리에 쓰이지 않아요!
Tip

❸ 확립된

❹ 이야기

How a person spends his or her day affects his or her life.
어떤 사람이 하루를 어떻게 보내는가는 그의 인생에 영향을 준다.

개념 4 ᐳ 'It ... 명사절' 구문

• 명사절 'That / Whether + 주어 + 동사,' 'What + 주어 + 동사,' '의문사 + 주어 + 동사'는 주어 자리에 올 수 있지만 주어가 길어지면 'It ~ ❺ [ ] 절' 형태로 쓰는 것이 일반적이다.

  <u>It</u> ~ that절 / whether절 / 관계대명사 what절 / 의문사절
  가주어   진주어

• It은 가주어로 문두에 쓰이고, 명사절이 ❻ [ ] 로 뒤에 온다.

❺ 명사

❻ 진주어

It is unbelievable that you are treating me to all this food.
당신이 내게 이 모든 음식을 ❼ [ ] 해 주다니 믿을 수가 없군요.

It doesn't matter whether you answer or not.
네가 답을 하나 않느냐는 ❽ [ ] 하지 않다.

❼ 대접

❽ 중요

정답과 해설 66쪽

3 다음 문장을 주어와 동사에 유의하여 해석해 보고, 무엇이 맞는지 고르시오.

(1) That my brother passed the test surprised everyone.

☐ 나의 형은 모두가 시험을 통과했다는 것에 놀랐다.

☐ 나의 형이 시험을 통과한 것이 모두를 놀라게 했다.

surprise 놀라게 하다

(2) I don't know what I should do with my eating habit.

☐ 나의 식습관을 어떻게 해야 할지 모르겠다.

☐ 나의 식습관이 어떤지 모르겠다.

eating habit 식습관

(3) It is unknown whether a really scary horror movie will be screened this summer.

☐ 정말 무서운 공포 영화가 올 여름에 상영될지는 미지수이다.

☐ 정말 무서운 공포 영화가 올 여름에 상영된다는 것은 아무도 모른다.

unknown 알려지지 않은
scary 무서운
horror movie 공포 영화
screen 상영하다

4 우리말을 참고하여 네모에서 문맥상 알맞은 말을 고르시오.

(1) 그들이 우리에게 동화되었다는 것은 사실이 아니다.

That they are assimilated to us [is / are] not true.

assimilate 동화시키다

(2) 그들이 왜 병 속에 메시지를 넣었는지는 비밀이다.

It is a secret [what / why] they put a message in the bottle.

secret 비밀

(3) 그들이 가장 성가신 것으로 여기는 것은 시간이다.

What they find most bothersome [is / are] time.　✎고1 9월응용

bothersome 성가신 일

(4) 비밀 평화 회담이 이미 시작되었다는 것은 소문이 났다.

It is rumored [that / what] secret peace talks have been already begun.

rumor 소문내다

2일 적중 예상 베스트

✎고1 3월

다음 문장에서 어법상 어색한 부분을 찾아 바르게 고치시오.

> Simply ①providing students with ②complex texts ③are not enough for ④learning ⑤to happen.

⇒

개념 가이드

긴 주어는 명사구, [   ], to부정사구, 명사절 등이 올 수 있고 이에 따른 동사는 [   ]를 쓴다.

답 동명사구, 단수동사

✎고1 3월

다음 문장의 주어를 찾아 쓴 후, 주어를 우리말로 해석하시오.

> For instance, to produce two pounds of meat requires about 5 to 10 times as much water as to produce two pounds of vegetables.

⇒

⇒

개념 가이드

to부정사가 [   ] 자리에 올 수 있는데 to부정사구 주어에서 핵심 주어는 [   ]이다.

답 주어, to produce

✎고1 6월응용

문장에서 진주어를 찾아 쓰시오.

> It is surprising how often people depend on this kind of nonsense.

⇒

개념 가이드

주어가 길어지면 it을 [   ] 자리에 두고 진짜 주어는 [   ]로 보내서 'It … that/to부정사구/동명사구' 구문으로 쓴다.

답 주어, 뒤

밑줄 친 부분 중 쓰임이 나머지와 다른 것은?

① Holding my temper was easier than hurting someone to me.
② The telephone on my desk rang persistently.
③ Whether I take the final exam or not is a different story.
④ What a bad cough he has in the library!
⑤ The number of nails the boy drove into the fence gradually decreased.

개념 가이드

①의 [   ]는 주어, ②⑤는 명사구 주어, ③은 Whether [   ] 주어이다. ④는 감탄문으로 a bad cough는 has의 목적어이다.

답 동명사구, 명사절

대표 예제 5 ✏️고1 3월응용

다음 문장에서 주어를 찾아 밑줄을 그은 후, 해석을 완성하시오.

> The point to remember is that sometimes in arguments the other person is trying to get you to be angry.

➡ _____ 때로는 논쟁에서 상대방은 여러분을 화나게 하려고 한다는 것이다.

✦ **개념 가이드**

명사, 대명사, 관사나 [ ]구가 붙은 명사구가 [ ] 자리에 올 수 있으므로 수식어를 잘 구분해야 한다.

답 수식어, 주어

대표 예제 6

다음 빈칸에 알맞은 말이 순서대로 짝지어진 것은?

> • The thing I dislike the most _____ a liar.
> • Sending messages _____ not allowed during class.

① is – are ② be – is
③ are – are ④ are – is
⑤ is – is

✦ **개념 가이드**

The thing이 주어이므로 [ ]를 동사로 쓴다. Sending messages는 동명사 주어이므로 [ ]를 쓴다.

답 is, 단수동사

대표 예제 7 ✏️고1 3월

다음 문장의 네모에서 알맞은 말을 고르시오.

> In warm environments, clothes that have a wicking capacity is / are helpful in dissipating heat from the body.

➡ _____

✦ **개념 가이드**

이 문장의 주어는 '명사 + 관계대명사 that절'([ ] that have a wicking capacity)이므로 그에 알맞은 [ ]를 써야 한다.

답 clothes, 복수동사

대표 예제 8 ✏️고1 3월응용

다음 우리말과 같도록 괄호 안의 단어를 배열하여 문장을 완성하시오.

> 시간이 흐르면서 그가 둘 다에서 잘할 수는 없다는 것이 명확해졌다.

(do, a, he, time, over, it, at, became, clear, that, couldn't, good, job, both)

➡ Over time, _____ .

✦ **개념 가이드**

'That + 주어 + 동사 ~'가 주어일 때 가주어 [ ]와 진주어 [ ]절을 쓰는 것이 자연스럽다.

답 it, that

3 _일 목적어 찾기

비가 오는데도 불구하고, 우리는 휴가를 즐겼다.
In spite of the rain, we enjoyed **our holiday**.
명사 목적어

Sam이 내 팔을 잡고 내 눈을 바라보았다.
Sam took **me** by the arm
and looked **me** in the eye.
대명사 목적어

나는 특별히 친구를 사귀는 것을 좋아하지 않는다.
I don't particularly enjoy **making** friends.
동명사 목적어

나는 머리를 기르기로 결심했다.
I've decided **to grow** my hair.
to부정사구 목적어

사람들은 용이 멸종되었다고 믿었다.
People believed **that dragons were extinct**.
명사절 목적어

Quiz

밑줄 친 부분에 해당하는 것을 괄호에서 고르세요.

1 I've just finished <u>making raspberry jam</u>. (① 보어   ② 목적어)

2 Some people say <u>that books are their best friends</u>. (① 보어절   ② 목적어절)

답 1 ②   2 ②

단어 미리 보기

check~

☐ **avoid** *v.* 피하다

avoid

☐ **suddenly** *ad.* 갑자기

☐ **lend** *v.* 빌리다

☐ **conversation** *n.* 대화

☐ **normalize** *v.* 정상화하다

☐ **relation** *n.* 관계

☐ **politician** *n.* 정치인

☐ **retrieve** *v.* 되찾아오다

☐ **experimenter** *n.* 실험자

☐ **inconvenience** *n.* 불편

☐ **minimum** *n.* 최소, 최저

mihnimum

☐ **emperor** *n.* 황제

☐ **expect** *v.* 기대하다

expect

☐ **give away** 선뜻 내주다, 거저 주다

☐ **explain** *v.* 설명하다

☐ **bicycle part** 자전거 부품

☐ **borrow** *v.* 빌리다

borrow

☐ **factor** *n.* 요인

☐ **determine** *v.* 결정하다

☐ **mind** *v.* 꺼리다

☐ **cooperate** *v.* 협력하다

cooperate

☐ **mention** *v.* 언급하다

☐ **incident** *n.* 사건

incident

☐ **break out** 발발하다, 발생하다

☐ **take a risk** 위험을 감수하다

☐ **international** *a.* 국제적인

international

3일 구문 핵심 정리 ①

개념 1 목적어: 동명사, to부정사

- '목적어'는 '~을/를'로 해석되는 말로, **명사(구), 대명사, 동명사, to부정사** 등이 목적어로 쓰일 수 있다.

동명사를 ❶ _____ 로 취하는 동사	enjoy, finish, stop, keep, mind, avoid, stop, quit 등
❷ _____ 를 목적어로 취하는 동사	agree, need, hope, want, decide, expect, refuse, vow 등
동명사와 to부정사 둘 다를 목적어로 취하는 동사	start, begin, like, hate, love, attempt, continue 등

We keep **searching** for answers on the Internet.

우리는 답을 인터넷에서 ❸ _____ 찾고 있다.

She agreed **to let** me go early. 그녀는 내가 일찍 가는 것에 ❹ _____ .

The watermelon started **to grow**. 수박이 자라기 시작했다.

Suddenly my nose started **growing**. 갑자기 내 코가 자라나기 시작했어.

- '전치사 + 동명사'에서 동명사는 전치사의 목적어이다.

  I learned a lot **from reading** periodicals and newspapers. (나는 잡지나 신문을 읽고 많은 것을 배웠다.)

- 목적어로 '의문사 + to부정사'를 쓸 수 있다.

  what to do: 무엇을 해야 할지를
  how to do: 어떻게 해야 할지를
  when to do: 언제 해야 할지를
  where to go: 어디로 가야 할지를

❶ 목적어

❷ to부정사

❸ 계속해서

❹ 동의했다

개념 2 forget + 동명사 / to부정사

- forget, remember, regret, try 등은 목적어로 ❺ _____ 가 오는지 to부정사가 오는지에 따라 ❻ _____ 가 달라진다.

forget + 동명사	(과거에) ~했던 것을 잊다	regret + 동명사	(과거에) ~했던 것을 후회하다
forget + to부정사	(미래에) ~할 것을 잊다	regret + to부정사	(미래에) ~할 것이 유감이다
remember + 동명사	(과거에) ~했던 것을 기억하다	try + 동명사	(시험 삼아) ~해 보다
remember + to부정사	(미래에) ~할 것을 기억하다	try + to부정사	~하려고 노력하다

❺ 동명사

❻ 의미

He didn't forget **lending** me money. 그는 나에게 돈을 빌려 줬던 것을 ❼ _____ 않았다.

Don't forget **to bring** your umbrella. 우산을 가져와야 ❽ _____ 잊지 마라.

❼ 잊지

❽ 할 것을

정답과 해설 **67**쪽

1 다음 문장의 네모에서 알맞은 말을 고르시오.

(1) Tom avoided having / to have a conversation with his girlfriend about Jane.

avoid 피하다
have a conversation with ~와 대화하다

(2) The two countries agreed normalizing / to normalize relations.

agree 동의하다
normalize 정상화하다
relation 관계

(3) The politician continued talking / to talk about the social problem.

politician 정치인
continue 계속해서 ~하다

(4) We've decided not renting / to rent a car for the vacation.

decide 결정하다
rent 빌리다

2 우리말과 같도록 괄호 안의 말을 활용하여 쓰시오.

(1) 첫 번째 실험자는 처음 상자에서 그 물건을 다시 꺼내려고 해 보았다.

(try, retrieve)

🖉고1 9월 응용

retrieve 되찾아오다
experimenter 실험자

➡ The first experimenter _____ the object from the first box.

(2) 우리는 당신의 불편을 최소화하기 위해 노력할 것이다.

(try, keep)

🖉고1 6월 응용

inconvenience 불편
minimum 최소, 최저

➡ We will _____ your inconveniences to a minimum.

(3) 나는 어젯밤에 지희에게 편지를 보내려고 했던 것을 잊었다.

(forget, send)

➡ I _____ a letter to Jihee last night.

(4) 나는 그녀의 아름다운 미소를 본 것을 잊을 수 없다.

(forget, see)

➡ I can't _____ her beautiful smile.

개념 3 목적어: that / if / whether절

believe, hope, know, say, think, find, hear 등	(that+) 주어 + 동사	• that명사절이 목적어로 쓰인다. • 목적어로 쓰인 접속사 that은 ❶ [ ] 할 수 있다.
ask, tell, wonder	+ if + 주어 + 동사 + whether + 주어 + 동사	• 접속사 if나 whether절이 목적어로 쓰인다. • '❷ [ ]'로 해석한다.

● 접속사 if와 whether의 차이

if	whether
목적어 명사절을 이끌 수 있다.	주어, 목적어, 보어 명사절 모두를 이끌 수 있다.
if or not 형태로 쓸 수 없다. ('if + S + V ~ or not'의 형태로 쓰임)	whether or not 형태로 쓸 수 있다.

People say that Tiger Woods is the world's greatest golfer.

사람들은 Tiger Woods가 세계 최고의 골프 선수라고 ❸ [   ].

I wonder whether my teacher is interested in my plan.

나는 선생님이 나의 계획에 관심이 있는지 아닌지 ❹ [   ]하다.

❶ 생략

❷ ~인지 아닌지를

❸ 말한다

❹ 궁금

개념 4 목적어: 의문사절, what절

• 목적어로 쓰인 의문사 what은 '무엇을'로 해석하고, 관계대명사 what은 '~하는 것을'로 해석한다.

S + V +	의문사 who, what, which, when, where, why, how + 주어 + 동사	• ❺ [ ]절이 목적어로 쓰인다. • 의문사절 안의 '주어 + 동사'의 어순에 유의한다.
	관계대명사 what + 주어 + 동사	• 관계대명사 what은 ❻ [ ]를 포함하고 있다. • what 뒤에는 불완전한 문장이 온다.

❺ 의문사

❻ 선행사

The new manager wants to know what he should do next.

새로 온 지배인은 다음에 ❼ [   ] 해야 할지를 알고 싶어 한다.

The emperor couldn't see what he was wearing.

그 황제는 그가 ❽ [   ]을 볼 수 없었다.

❼ 무엇을

❽ 입고 있는 것

3 우리말과 같도록 괄호 안의 말을 활용하여 영어로 쓰시오.

(1) 나는 그가 자기 우산을 선뜻 내놓을 것이라고는 기대하지 않았었다.

(expect, that, give away)

➡ _____

expect 기대하다
give away 선뜻 내놓다, 거저 주다

(2) 나는 Jane이 뮤지컬 〈아이다〉를 좋아했는지 알고 싶다.

(know, if, musical "Aida")

➡ _____

(3) 우리는 그 가이드가 설명해 주는 것을 이해할 수 없었다.

(understand, what, guide, explain)

➡ _____

explain 설명하다

(4) 나는 그가 왜 이런 낡은 자전거 부품들을 사용했는지 물었다.

(ask, why, use, bicycle parts)

➡ _____

bicycle part 자전거 부품

4 우리말과 같도록 네모에서 알맞은 표현을 고르시오.

(1) Tom asked Jane that / whether he could borrow her dictionary.

Tom은 Jane에게 그녀의 사전을 빌릴 수 있는지를 물었다.

borrow 빌리다

(2) Many factors determine that / what we should do.　　🖉고1 6월 응용

많은 요인들이 우리가 해야 할 것을 결정한다.

factor 요인
determine 결정하다

(3) Tell me that / what happened.　　🖉고1 9월 응용

무슨 일이 있었는지 나에게 말해라.

(4) The old woman told me why / what she was crying.

그 노부인은 자기가 왜 울고 있는지 내게 말해 주었다.

3일 적중 예상 베스트

대표 예제 1

다음 중 어법상 어색한 것은?

① I stopped writing a letter to him.
② Have you tried riding it?
③ The police tried stopping the street demonstration.
④ I don't mind eating away from home.
⑤ The two groups agreed to cooperate with each other.

개념 가이드

① stop + ⬚ : ~하는 것을 멈추다 ② try + 동명사: 시험 삼아 ~해 보다 ③ try + to부정사: ~하려고 노력하다 ④ mind + 동명사 ⑤ agree + ⬚   **답** 동명사, to부정사

대표 예제 2

우리말과 같도록 괄호 안의 말을 활용하여 문장을 완성하시오.

> 수줍어하는 사람들은 다른 사람들에게 먼저 말 거는 것을 싫어한다.

(hate, talk, others)

➡ Shy people_____.

개념 가이드

start, begin, like, hate, love, attempt, continue 등은 ⬚ 와 ⬚ 를 모두 목적어로 쓸 수 있고, 뜻의 차이가 거의 없다.   **답** 동명사, to부정사

대표 예제 3

우리말과 같도록 괄호 안의 말을 바르게 배열하여 문장을 쓰시오.

> 그녀는 그 사건에 대한 언급을 회피했다.

(avoided, she, mentioning, incident, the)

➡ _____

개념 가이드

avoid는 ⬚ 를 목적어로 취한다. '~에 대해 언급하다'는 mention이고 ⬚ 를 사용하지 않음에 유의한다.   **답** 동명사, 전치사

대표 예제 4

✎ 고1 3월

빈칸에 들어갈 말이 순서대로 짝지어진 것은?

- God was enjoying _____ to the sound of the frog.
- Toby vowed not _____ the boy.

① listen – forget
② listens – to forget
③ to listen – forgetting
④ listening – to forget
⑤ listening – forgetting

개념 가이드

enjoy는 목적어로 ⬚ 를 쓴다. vow는 목적어로 to부정사를 쓰고 to부정사의 부정은 'not + ⬚ '이다.   **답** 동명사, to부정사

3일

대표 예제 **5**

우리말과 같도록 빈칸에 알맞은 말을 쓰시오.

> 무엇을 해야 할지 모를 때에는 그저 순서대로 해봐.

➡ If you _____,
just take things in order.

✦ **개념 가이드**

what to do는 know의 □□□이고, 동명사, to부정사, '의문사 + to부정사' 등이 목적어로 쓰인다. □□□는 '~한다면'이라는 뜻의 조건절을 이끄는 접속사이다.

📘 **답** 목적어, if

대표 예제 **6**

다음 빈칸에 어법상 알맞지 <u>않은</u> 것은?

> I don't remember _____.

① how I went there
② what I was doing
③ if she had a dog
④ what food she liked best
⑤ when did the fire break out

✦ **개념 가이드**

동사의 □□□로 쓰인 의문사가 이끄는 명사절은 '□□□ + 주어 + 동사'의 어순으로 쓴다.

📘 **답** 목적어, 의문사

대표 예제 **7**

✎ 고1 3월 응용

빈칸에 들어갈 말이 공통으로 알맞은 것은?

> To take risks means _____ you will succeed sometime but never to take a risk means _____ you will never succeed.

① if
② what
③ that
④ whether
⑤ when

✦ **개념 가이드**

you will succeed sometime과 you will never succeed 모두 □□□ 문장이므로 접속사 □□□을 써야 한다.

📘 **답** 완전한, that

대표 예제 **8**

영어를 우리말로 옮길 때 빈칸에 알맞은 말을 쓰시오.

> We expect that Korean athletes will keep putting up a good fight in international contests.

➡ 우리는 _____ 기대한다.

✦ **개념 가이드**

expect that ~은 '~하기를 기대하다'라는 뜻으로 that 이하는 □□□로 쓰인 명사절이다. keep은 □□□를 목적어로 취한다.

📘 **답** 목적어, 동명사

4 일 보어 찾기

그 애니메이션은 재미있다. / "Frozen 2"이다.
That animation is **interesting**. 형용사
"**Frozen 2.**" 명사

가장 좋은 것은 두고 보는 것이다.
The best thing is **to wait and see**.
to부정사구 보어

나의 취미는 천연화장품 만들기이다.
My hobby is **making natural cosmetics**.
동명사 보어

분사 보어(목적격보어)
I saw something **moving** in the dark. I want the TV **fixed**.
나는 어둠 속에서 뭔가 움직이는 걸 봤다. / 나는 TV를 고쳐놔야겠다.

중요한 것은 내가 행복하다는 것이다.
The important thing is **that I am happy**.
명사절 보어

Quiz

밑줄 친 부분에 해당하는 것을 괄호에서 고르세요.

1 His ear turned <u>red</u> with embarrassment. (① 주격보어 ② 목적격보어)

2 I heard my name <u>called</u>. (① 주격보어 ② 목적격보어)

답 1 ① 2 ②

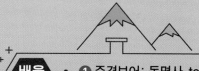
단어 미리 보기

check~

☐ figure   *n.* 수치, 숫자

Figure

☐ correlate   *v.* 연관성이 있다

☐ idle   *a.* 게으른

☐ audience   *n.* 관중, 청중

audience

☐ sexuality   *n.* 성 정체성

☐ instructions   *n.* 설명서

☐ neutral   *a.* 중립적인

☐ mixed-signal   *n.* 혼합된 신호

☐ suggestion   *n.* 제안

☐ virtue   *n.* 미덕

Virtue

☐ midpoint   *n.* 중간 지점

☐ shaking   *a.* 흔들리고 있는

☐ install   *v.* 설치하다

☐ generator   *n.* 발전기

☐ park   *v.* 주차하다

☐ turkey   *n.* 칠면조

☐ freeze   *v.* 얼다, 얼리다

Freeze

☐ remind   *v.* 상기시키다

remind

☐ indifference   *n.* 무관심

☐ hard hat   안전모

☐ legal   *a.* 법률의

legal

☐ secretary   *n.* 비서

☐ relevant   *a.* 관련이 있는

☐ educator   *n.* 교육자

☐ ensure   *v.* 보장하다

ensure

☐ competence   *n.* 역량, 능력

개념 1 주격보어: 동명사, to부정사, 명사절

- 주격보어는 [❶   ]를 보충 설명하고 '(주어가) ~하는 것이다'로 해석한다.
- 주격보어로 명사(구), 대명사, 형용사, 동명사, to부정사, '의문사 + to부정사', 분사, 명사절 등이 온다.
- 상태, 감각동사 + to부정사: 여기서 to부정사는 [❷   ]이다.
- **be**동사 + **to**부정사: 예정, 의무, 가능, 운명, 의지 등의 의미를 나타낸다.

The figures do not **seem to correlate**. 그 [❸   ]들은 연관성이 없어 보인다.

Doing nothing is **being idle**. 아무것도 안 하는 것은 빈둥거린다는 것이다.

My concern is **what to do** for my future.
내 [❹   ]는 내 미래를 위해 무엇을 해야 하는가이다.

There **is to be** a stoppage of water supply for this district.
이 지역에 급수가 중단될 예정입니다.

- 상태나 변화를 나타내는 동사(~한 상태로 있다, ~이 되다): be, remain, become, get, grow, keep, turn
- 감각동사: look, smell, feel, taste, sound
- 기타: seem, appear
- 'be + to부정사'의 의미

예정	~할 예정이다
의무	~해야 한다
가능	~할 수 있다
운명	~할 운명이다
의지	~할 작정이다

❶ 주어

❷ 주격보어

❸ 수치(숫자)

❹ 관심사

개념 2 주격보어: 분사

- 주어의 행동이나 상태를 보충 설명하는 분사는 현재분사와 과거분사가 있다.

[❺]	동사원형 + -ing	능동·진행의 의미
과거분사	동사원형 + -ed	수동·완료의 의미

- 감정 형용사: 감정을 나타내는 동사의 분사형(-ing, -ed)은 형용사로 굳어져 주격보어로 쓰인다.

amazing 놀라운 surprising 놀라운	disappointing 실망시키는 confusing 혼란시키는	주로 사물이 주어이거나 사물을 수식할 때 쓰인다.
amazed 깜짝 놀란 surprised 놀란	disappointed 실망한 confused 당황한	주로 [❻]이 주어이거나 사람을 수식할 때 쓰인다.

- 분사는 보통 형용사처럼 명사 앞에서 수식하고, 분사가 다른 어구를 동반하면 명사 뒤에서 수식한다.
  an interesting book
  (재미있는 책)

❺ 현재분사

❻ 사람

The audience stood **cheering** in the rain. 관중은 빗속에서 [❼   ]하며 서 있었다.

He was **confused** about his sexuality. 그는 자신의 성 정체성에 대해 혼란스러웠다.

The instructions on the box are very **confusing**. 상자에 붙은 설명서가 몹시 [❽   ].

❼ 환호

❽ 혼란스럽다

4일

1 우리말에 맞도록 괄호 안의 말을 활용하여 빈칸에 알맞은 말을 쓰시오.

(1) 의회는 종교 문제에 대해 중립적인 태도를 지켜야 한다. (remain, neutral)

➡ Congress must _____ _____ on matters of religion.

neutral 중립적인

congress 의회

(2) 혼합된 신호들은 혼란스러울 수도 있다. (confuse)

➡ Mixed-signals can _____ _____. ✎ 고1 9월 응용

mixed-signal 혼합된 신호

(3) 아리스토텔레스의 의견은 미덕이 중간 지점에 있다는 것이다. (be) ✎ 고1 6월 응용

➡ Aristotle's suggestion _____ _____ virtue is the midpoint.

suggestion 의견
midpoint 중간 지점

(4) 그는 두 번 다시 자기 가족을 만나지 못할 운명이었다. (never, see)

➡ He was _____ _____ _____ his family again.

(5) 그들의 임무는 파이프를 조사하고 새는 곳을 고치는 것이었다. (look) ✎ 고1 3월

➡ Their job was _____ _____ into the pipe and fix the leak.

fix 수리하다, 고치다
leak 새는 곳

2 괄호 안의 말을 활용하여 빈칸에 알맞은 말을 쓰시오.

(1) Susan was _____ by the book's success. (surprise)

success 성공

(2) We appear _____ shaking. (be)

appear ~인 것 같다
shaking 흔들리고 있는
have a crossed line (전화가) 혼선이 되다

(3) We seem _____ a crossed line. (have)

(4) Jim was so _____ that he fell down on the floor. (scare)

4일 구문 핵심 정리 ❷

개념 3 목적격보어: to부정사

- '주어 + 동사 + 목적어 + 목적격보어'에서 목적어와 목적격보어는 '주어-동사'의 주술 관계처럼 목적격보어는 목적어의 행동이나 상태를 보충 설명한다.
- ask, advise, want, allow, expect, cause, tell, teach 등은 to부정사를 [❶   ]로 쓴다.
- 준사역동사인 **help**는 to부정사나 [❷   ]을 목적격보어로 쓴다.

My manager wants us to finish the work by the day after tomorrow.

나의 매니저는 우리가 그 일을 모레까지 [❸   ]를 원한다.

Dr. Martin helped me adjust〔to adjust〕to the culture in the U.S.

Martin 박사는 제가 미국 문화에 [❹   ] 도와주었습니다.

- call, think, make, believe 등 + 목적어 + 목적격보어(명사, 형용사)
  Dave calls his father **a hero**.
  (Dave는 아버지를 영웅이라고 부른다.)

❶ 목적격보어

❷ 동사원형

❸ 끝내기

❹ 적응하도록

개념 4 목적격보어: 동사원형, 분사

- 사역동사(make, have, let)와 지각동사(see, watch, look at, hear, listen to, feel, smell)는 [❺   ]을 목적격보어로 쓴다.
- 목적어와 목적격보어의 관계가 **능동·진행**일 때 목적격보어로 [❻   ]를 쓰고, 수동·완료일 때 과거분사를 쓴다.
- 사역동사는 목적격보어로 현재분사를 쓰지 않는다.

지각동사 keep, leave, find	+ 목적어 + 현재분사	능동·진행일 때
	+ 목적어 + 과거분사	수동·완료일 때

We can watch him grow up week after week.

우리는 그가 자라는 것을 매주 [❼   ] 수 있다.

I thought I heard somebody calling me.

누가 나를 부르는 소리를 들은 것 같았다.

I had my wallet stolen in Chesterfield.

나는 체스터필드에서 지갑을 [❽   ].

- 현재분사와 동명사
- 둘 다 '동사원형 + -ing' 형태
- **현재분사**: 동사와 형용사의 역할
  명사의 동작이나 상태를 나타낸다.
  a **sleeping** lion(잠자고 있는 사자)
- **동명사**: 동사와 명사의 역할
  명사의 목적이나 용도를 나타낸다.
  dining room(식당)

❺ 동사원형

❻ 현재분사

❼ 지켜볼

❽ 도둑맞았다

3 우리말과 같도록 괄호 안의 말을 활용하여 빈칸을 완성하시오.

(1) 그녀의 미소는 나를 미소 짓게 했고 정말 좋은 기분이 들도록 만들었다.

(feel)

✐ 고1 3월 응용

➡ Her smile made me _____ and _____ really good inside.

inside 안에, 내부에

(2) 이것은 그녀와 멋진 대화나 친근한 대화를 시작할 수 있도록 도울 수 있다.

(start)

➡ This can _____ you _____ a good or friendly conversation with her.

friendly 친근한
conversation 대화

(3) 그는 TV가 자신의 방에 설치되기를 원했다.

(install)

✐ 고1 6월 응용

➡ He wanted _____ _____ in his room.

install 설치하다

(4) 많은 사람들은 자신이 예전 습관으로 되돌아가고 있는 것을 발견한다.

(find, return)

➡ Many people _____ themselves _____ to their old habits.

habit 습관

4 다음 문장의 네모에서 문맥에 알맞은 말을 고르시오.

(1) I smelled something ⎣ burning / burned ⎦ near my office.

burn 타다
magician 마술사

(2) The famous magician had his suitcase ⎣ carry / carried ⎦ to his room by a bellboy.

bellboy 벨보이
generator 발전기
park 주차하다

✐ 고1 3월 응용

(3) We found a generator ⎣ park / parked ⎦ right outside of our house.

right outside of ~의 바로 밖에

(4) You must keep the turkey ⎣ freeze / frozen ⎦ until tomorrow.

turkey 칠면조
freeze 얼다, 얼리다

4일 적중 예상 베스트

대표 예제 1

다음 밑줄 친 부분 중 어법상 어색한 것은?

① The key is <u>how to get</u> it at a low cost.
② Eating Krispy doughnuts makes me <u>happily</u>.
③ My mother wanted me <u>to read</u> the letter.
④ My plan was <u>to go</u> to New Zealand on a working holiday.
⑤ Jim asked me <u>to remind</u> him of the deadline.

개념 가이드

① 주격보어(의문사 + [   ]) ② 사역동사 + 목적어 + 목적격보어([   ]) ③⑤ want, ask + 목적어 + 목적격보어(to부정사) ④ 주격보어(to부정사)

🔲 to부정사, 형용사

대표 예제 2

✎ 고1 3월 응용

다음 우리말과 같도록 괄호 안의 말을 바르게 배열하여 문장을 쓰시오.

나는 무엇인가 벽을 따라 천천히 움직이고 있는 소리를 들었다.
(the walls, something, I, moving, heard, slowly, along)

➡ _____

개념 가이드

지각동사 hear는 목적격보어로 [   ]을 쓰지만, 목적어와 목적격보어의 관계가 능동이고 진행의 의미를 강조할 때는 [   ]를 쓴다.

🔲 동사원형, 현재분사

대표 예제 3

다음 문장에서 어법상 어색한 부분을 찾아 고쳐 쓰시오.

(1) I like the animation movie to make by Hayao Miyazaki.
(2) You are to moving before the end of the month by the contract.

(1) _____ ➡ _____
(2) _____ ➡ _____

개념 가이드

(1) 목적어 the animation movie와 make는 수동의 관계이므로 [   ]로 고쳐 써야 한다. (2) 'be동사 + [   ]' 구문으로 의무를 나타낸다.

🔲 과거분사, to부정사

대표 예제 4

✎ 고1 3월 응용

빈칸에 알맞은 말이 순서대로 짝지어진 것은?

• The important thing is _____ you tried hard.
• Chris was _____ by her indifference.

① to – annoy
② if – annoying
③ that – annoyed
④ what – to annoy
⑤ how to – annoying

개념 가이드

첫 번째 문장은 뒤에 [   ] 문장이 오므로 that이 알맞다. 두 번째 문장의 과거분사 annoyed(짜증이 난)는 감정형용사로 주로 [   ]이 주어일 때 쓰인다.

🔲 완전한, 사람

대표 예제 5 ✎ 고1 6월 응용

우리말과 같도록 할 때 밑줄 친 부분 중 어법상 어색한 것은?

그는 몇몇 작업자들이 안전모를 쓰고 있지 않은 것을 발견했다.

➡ He ①found ②some of the ③workers ④wearing not ⑤their hard hats.

✦ 개념 가이드

'find + 목적어 + 목적격보어(☐☐☐☐☐)' 구문이다. 분사의 부정형은 not을 분사 ☐☐ 에 쓴다.

🅑 현재분사, 앞

대표 예제 6

다음 문장 중에서 어법상 어색한 것은?

① He saw the glass door broken.
② Jane saw a man staring through the window.
③ My father never allowed me go there.
④ The teacher made me move my seat to the front of the classroom.
⑤ Legal secretaries help lawyers find relevant information for cases.

✦ 개념 가이드

지각동사, 사역동사, help는 목적격보어로 ☐☐☐☐☐ 이나 분사를 쓸 수 있다. allow는 목적격보어로 ☐☐☐ 를 쓴다.

🅑 동사원형, to부정사

대표 예제 7 ✎ 고1 6월 응용

문맥에 알맞은 말을 네모에서 고르시오.

(1) Even the judges looked disappointing / disappointed .

(2) The challenge for educators is to ensure / ensure individual competence in basic skills.

(1) _____ (2) _____

✦ 개념 가이드

(1) 감정형용사는 주어가 사람이면 ☐☐☐☐☐ 를 쓴다.
(2) be동사의 주격보어는 ☐☐☐☐☐ 를 쓴다.

🅑 과거분사, to부정사

대표 예제 8

네모에서 알맞은 말을 고른 후, 우리말의 빈칸에 알맞은 말을 완성하시오.

The treasure from the ship remains burying / buried somewhere to this day.

➡ 그 배에서 나온 보물이 오늘날까지 _____
_____.

✦ 개념 가이드

remain은 주격보어로 명사, 형용사, 분사를 쓸 수 있다. 보어가 능동·진행의 의미이면 ☐☐☐☐☐ 를 쓰고, 수동·완료의 의미이면 ☐☐☐☐☐ 를 쓴다.

🅑 현재분사, 과거분사

5_일 수식어: 형용사

그것이 위대한 예술을 이해하는 방법이다.
That is <u>the way</u> **to understand** great art.
명사를 수식하는 to부정사

뭐 먹을 것 없어요?
Don't you have <u>anything</u> **to eat**?
대명사를 수식하는 to부정사

경찰은 지금 그 탈옥수를 쫓고 있다.
The police are now running after the **escaped** prisoner.
분사 + 명사(명사 앞에서 수식)

전치사 + 명사
That healthy old man needs <u>a house</u> **to live in**.
저 건강하신 노인은 살 집이 필요하다

명사 + 분사(명사 뒤에서 수식)
I ignored <u>the man</u> **waving** at me.
나는 나를 향해 손을 흔드는 그 남자를 무시했다.

Quiz

밑줄 친 부분에 해당하는 것을 괄호에서 고르시오.

1 I'm afraid of a <u>barking</u> dog. (① 형용사 역할   ② 부사 역할)

2 I heard a child <u>sobbing</u> loudly. (① 형용사 역할   ② 부사 역할)

답 1 ① 2 ①

배울 내용

① 수식어: to부정사의 형용사적 용법 ③ 수식어: 현재분사
② -thing(+형용사) + to부정사 ④ 수식어: 과거분사

단어 미리 보기

check~

- ☐ exceptionally *ad.* 보기 드물게
- ☐ intelligence *n.* 지성
- ☐ adapt *v.* 적응하다

  adapt

- ☐ except *pre.* ~을 제외하고는
- ☐ rebel against ~에 반항하다
- ☐ accomplished *a.* 뛰어난
- ☐ generation *n.* 세대
- ☐ require *v.* 필요로 하다
- ☐ investment *n.* 투자
- ☐ access *v.* 접근하다

- ☐ blame *v.* 비난하다

  blame

- ☐ label *n.* 라벨, 상표
- ☐ notice *v.* 알아채다

  notice

- ☐ ultimate *a.* 최후의, 최고의
- ☐ rereading *n.* 다시 읽기
- ☐ bring back 되살리다
- ☐ initial *a.* 최초의, 처음의

- ☐ defeat *v.* 패배시키다
- ☐ rival *n.* 경쟁자
- ☐ sculpture *n.* 조각품
- ☐ step *v.* 밟다
- ☐ opportunity *n.* 기회

- ☐ option *n.* 선택 사항

  option

- ☐ assistant *a.* 보조의
- ☐ opposite *a.* 반대의

  opposite

- ☐ glacier *n.* 빙하

개념 1 수식어: to부정사의 형용사적 용법

- **형용사 + 명사**: 보통 형용사는 명사 [❶]에서 수식한다.
  a **beautiful** princess
- **명사 + to부정사**: to부정사는 명사의 [❷]에서 수식하며 **형용사 역할**을 하고,
  '~할/~하는'으로 해석한다.
  some bread **to eat**
- **명사 + to부정사 + 전치사**: to부정사의 수식을 받는 명사가 전치사의 목적어일 때 to
  부정사 뒤에 전치사를 쓴다.

A **(very handsome)** prince met an **(exceptionally beautiful)** princess.
　　부사　　형용사　　　　　　　　　　　　부사　　　　　형용사

(매우 잘 생긴) 왕자가 (보기 드물게 아름다운) [❸]를 만났다.

Intelligence is **the ability to adapt** to change.

[❹]은 변화에 적응하는 능력이다.

He is looking for **a bigger apartment to live in**.

그는 지금 들어가 살 더 큰 아파트를 찾고 있다.

- 주어, 동사, 목적어, 보어는 생략되면 문장의 뜻이 불완전해지지만, 수식어인 형용사, 부사는 생략해도 뜻이 성립한다.

- 명사 + to부정사 + 전치사
  a house to live **in**
  a chair to sit **on**
  someone to talk **to**
  a toy to play **with**
  a pencil to write **with**

❶ 앞
❷ 뒤
❸ 공주

❹ 지성

개념 2 -thing/-one/-body(+형용사) + to부정사

- **-thing/-one/-body**(+형용사) + **to**부정사: -thing, -one, -body로 끝나는 대명사는 형용사나 to부정사가 [❺]에서 수식한다.

사람	사물	수식어구
everybody, everyone 아무나 모두	everything 어느 것이나 모두	(+ 형용사) + [❻]
somebody, someone 누구도	something 어떤 것도	
anybody, anyone 누구라도	anything 어느 것이라도	
nobody, no one 아무도 ~ 않다		

I have **something important to give** you.

나는 너에게 줄 [❼]이 있다.

She had **nobody to turn** to except me.

그녀는 나 말고는 의지할 사람이 [❽] 없다.

❺ 뒤

❻ to부정사

❼ 중요한 것

❽ 아무도

기초 확인 문제

5일

1 밑줄 친 명사를 수식하는 말에 네모를 한 후, 문장을 우리말로 해석하시오.

(1) Most teenagers find <u>something</u> to rebel against.

　➡ _____

rebel 반항하다
against ～에 반대하여

(2) He was the most accomplished <u>pianist</u> of her generation.

　➡ _____

accomplished 뛰어난
generation 세대

(3) The class requires <u>a teacher</u> to teach it and <u>students</u> to take it.

　　　　　　　　　　　　　　　　　　　　　　🖉 고1 3월 응용

　➡ _____

require 요구하다, 필요로 하다

(4) Buy <u>a house</u> to live in, not as an investment.

　➡ _____

investment 투자

2 밑줄 친 부분에서 어법상 어색한 곳을 찾아 바르게 고쳐 쓰시오.

(1) YouTube is the most <u>way popular to access</u> the information.

　➡ _____

popular 인기 있는
access 접근하다

(2) Everyone has <u>something about to be happy</u>.

　➡ _____

(3) He has <u>no one blame</u> but himself for some problem.　🖉 고1 9월 응용

　➡ _____

blame 비난하다, 탓하다

(4) Food labels are <u>a way good to find</u> the information about the foods.

　➡ _____

label 라벨, 상표

5일 구문 핵심 정리 ❷

개념 3 수식어: 현재분사

- 현재분사는 형용사처럼 ❶[ ]와 대명사를 수식한다.
- 분사 + 명사: 분사가 한 단어일 때에는 **명사의 앞**에서 수식한다.
- 명사 + 분사: 분사가 목적어나 수식어구가 붙어 두 단어 이상일 때에는 **명사의 뒤**에서 수식한다.
- 명사와 분사의 관계가 **능동·진행일 때** ❷[ ]를 쓰며, '~한, ~하고 있는'의 뜻으로 명사의 행동이나 상태를 표현한다.

He warmed his hands before the **burning** fire.

그는 활활 ❸[ ] 불 앞에서 손을 따뜻하게 했다.

He was looking at the fire **burning brightly**.

그는 활활 타고 있는 ❹[ ]을 보고 있었다.

• 분사의 수식

현재분사 + 명사	능동
명사 + 현재분사구	진행
과거분사 + 명사	수동
명사 + 과거분사구	완료

❶ 명사

❷ 현재분사

❸ 타고 있는(타오르는)

❹ 불

개념 4 수식어: 과거분사

- 과거분사가 단독으로 명사를 수식할 경우에는 '**과거분사 + 명사**'의 형태로 쓰고, 목적어나 수식어구가 붙어 있는 경우에는 '**명사 +** ❺[ ]'의 형태로 쓰여 명사를 수식하는 형용사 역할을 한다.
- 명사와 분사의 관계가 **수동·완료일 때** ❻[ ]를 쓰며, '~해진, ~된'의 뜻으로 명사의 행동이나 상태를 표현한다.
- 명사 뒤에 오는 분사 앞에는 '**주격 관계대명사 + be동사**'가 생략된 것으로 볼 수 있다.

The **escaped** prisoner remains at liberty.

❼[ ] 아직도 붙잡히지 않았다.

He found the book **hidden in the box**.

그는 상자 속에 ❽[ ] 책을 찾아냈다.

What is the language **(which is) spoken** in Iran?

이란에서 사용되는 언어는 무엇입니까?

❺ 과거분사

❻ 과거분사

❼ 탈옥수는

❽ 숨겨진

기초 확인 문제

정답과 해설 **70**쪽

3 괄호 안의 말을 활용하여 문맥에 맞게 빈칸에 쓰시오.

(1) Stores selling _____ things are always interesting. (use)

✎고1 3월 응용

(2) Dorothy noticed a strange light _____ from the kitchen. (shine)

(3) David had an expensive painting _____ in his office. (hang)

(4) The Lord of the Rings series _____ by J.R.R. Tolkien was the ultimate fantasy movie. (write)

✎고1 6월 응용

(5) Rereading brings _____ understanding of the book. (renew)

sell 팔다

notice 알아채다

expensive 값비싼

lord 왕, 군주
ultimate 최후의, 최고의

rereading 다시 읽기
renew 새롭게 하다

4 다음 문장의 네모에서 문맥에 알맞은 말을 고르시오.

(1) I asked him to repair the breaking / broken window.

repair 수리하다

✎고1 6월 응용

(2) The repeating / repeated experience brings back the initial emotions caused by the book.

✎고1 3월 응용

(3) A god calling / called Moinee was defeated by a rival god calling / called Dromerdeener.

(4) Suddenly I saw a strange flying / flown object in the sky.

repeat 반복하다
bring back 되살리다
initial 최초의, 처음의

defeat 패배시키다
rival 경쟁자

object 물체

5일

5일 적중 예상 베스트

대표 예제 1

다음 밑줄 친 부분 중 어법상 어색한 것은?

① Sam needs a fork to eat with.
② The room designed by Jim is really convenient.
③ The boy singing on the stage is my brother.
④ This is the sculpture creating by Mr. Cooper.
⑤ I stepped on a piece of the broken glass.

개념 가이드

① 가지고 먹을 포크: 명사 + to부정사 + ☐ ②④⑤ 명사와 분사의 관계가 '수동·완료'이므로 ☐ 를 쓴다. ③ '능동·진행'의 뜻이므로 현재분사를 쓴다.

답 전치사, 과거분사

대표 예제 2

다음 문장에서 어색한 부분을 찾아 고쳐 쓰시오.

The school is looking for someone teach science.

_____ ⇒ _____

개념 가이드

'-thing / -one / -body(+형용사) + to부정사'의 형태로 ☐ 와 ☐ 가 대명사를 뒤에서 수식한다.

답 형용사, to부정사

대표 예제 3

우리말과 같도록 괄호 안의 말을 바르게 배열하여 빈칸에 알맞은 말을 쓰시오.

이것은 당신의 몸을 더 나은 선택사항들로 채울 기회를 줄 것이다.

(give, body, to, the, opportunity, your, fill, up)

➡ This will _____ on better options.

개념 가이드

'give + 간접목적어(your body) + 직접목적어(the opportunity)'의 ☐ 구문이다. 명사 the opportunity를 ☐ 가 수식한다.

답 4형식, to부정사

대표 예제 4

다음 빈칸에 알맞은 말이 순서대로 짝지어진 것은?

• My friend is planning to go to the _____ theme park in Hong Kong.
• An assistant professor gave the students paper _____.

① newly opened – to write on
② new opened – to write
③ newly opening – to write on
④ new opening – to write on
⑤ newly opened – to write

개념 가이드

• 부사는 형용사를, ☐ 는 명사를 수식한다.
• paper가 전치사의 목적어이므로 to부정사 뒤에 on을 쓴다.

답 형용사, 전치사

대표 예제 5

괄호 안의 단어를 활용하여 빈칸에 알맞은 말을 쓰시오.

> (1) Some consumers buy skin creams and baby products for their _____(sooth) effect on the skin.
>
> (2) We see lots of casualties every day, worldwide, _____(result) from the lack of education.

(1) _____ (2) _____

개념 가이드

(1) sooth와 effect는 [   ] 관계이므로 현재분사를 쓴다.
(2) lots of casualties를 수식하는 result는 '~로 생긴'이라는 능동의 뜻이므로 [   ]를 쓴다.

답 능동, 현재분사

대표 예제 6 ✎고1 3월 응용

다음 두 문장이 같은 뜻이 되도록 빈칸에 알맞은 말을 쓰시오.

> It is based on a story which is called Saint Benno and the Frog.

➡ It is based on a story _____ Saint Benno and the Frog.

개념 가이드

관계대명사절에서 '[   ] 관계대명사 + be동사'를 생략하여 앞의 [   ]를 수식할 수 있다.

답 주격, 명사

대표 예제 7

네모에서 문맥에 알맞은 말을 고르시오.

> (1) We met a little girl | walking / walked | with her family in the opposite direction.
>
> (2) It's the best time | walking / to walk | with my puppy in the countryside.

(1) _____ (2) _____

개념 가이드

(1) a little girl을 수식하며 '~하고 있는'의 진행을 뜻하는 [   ]를 쓴다. (2) '~할 최적의 시간'은 [   ]를 써서 the best time을 수식한다.

답 현재분사, to부정사

대표 예제 8 ✎고1 3월 응용

다음 문장의 빈칸에 알맞은 말을 쓰시오.

> Water from melting glaciers and from rain filled these huge holes.

➡ _____로 생긴 물과 빗물이 이 거대한 구덩이를 채웠다.

개념 가이드

분사가 단독으로 쓰이면 보통 명사 [   ]에서 수식한다. 능동·진행의 의미이므로 [   ]를 쓴다.

답 앞, 현재분사

1 다음 문장에서 주어, 동사, 목적어를 찾아 쓰시오.

> Today, the widespread use of computers, printers, and other equipment has added machine noise.

- 주어: _____
- _____
- 동사: _____
- 목적어: _____

✎ 고1 6월 응용

2 다음 문장과 의미가 같도록 빈칸에 알맞은 말을 쓰시오.

> Trees give scientists some information about that area's local climate in the past.

➡ Trees give some information _____
_____ .

✎ 고1 11월 응용

3 다음 글의 네모에서 어법상 알맞은 말을 고른 후, 우리말의 빈칸에 알맞은 말을 쓰시오.

> That / What differed in both of these situations was the price context of the purchase.

➡ _____

➡ _____ 구매의 가격 상황이었다.

4 다음 빈칸에 알맞은 말을 <u>모두</u> 고르시오.

> My boss _____ to give a pay raise this year to prevent employees from moving.

① quitted ② vowed
③ avoided ④ minded
⑤ decided

5 다음 중 괄호 안의 문장 형식이 <u>잘못된</u> 것은?

① The rain moved from the middle of the country to southwards. (1형식)
② Our challenge is to avoid a humanitarian crisis. (2형식)
③ New wireless technology has caused Bluetooth decay. (3형식)
④ His work brought him a great deal of popularity. (3형식)
⑤ The camel's hump filled with fat keeps it cool in the hot desert. (5형식)

✎ 고1 9월 응용

6 우리말과 같도록 괄호 안의 말을 바르게 배열하여 문장을 완성하시오.

> 물건을 사기보다는 물건을 만드는 데서 즐거움을 찾기를 시험 삼아 해 보아라.

(finding, try, in, rather, creating things, buying things, pleasure, than)

➡ _____
_____

고1 11월응용

7 다음 글의 밑줄 친 부분 중, 어법상 어색한 것은?

Black and white, which ① have a brightness of 0% and 100%, respectively, ② show the most dramatic difference in ③ perceived weight. In fact, black is perceived to be twice as heavy as white. Carrying the same product in a black shopping bag, versus a white ④ one, ⑤ feel heavier.

①   ②   ③   ④   ⑤

8 다음 밑줄 친 that의 쓰임이 나머지와 다른 것은?

① That he wrote this story is amazing.

② My suggestion is that we dine out this evening.

③ Many people pretend that they understand modern art.

④ The temperature here is higher than that of London.

⑤ Anything of value requires that we take a risk of failure or being rejected.

고1 9월응용

9 다음 글의 네모 안에서 어법상 알맞은 말을 고르시오.

Tens of millions of people in developing countries, some just children, (A) work / works long hours in dangerous conditions to make fashion items, in the kinds of factories often labeled sweatshops. Most garment workers (B) is / are paid barely enough to survive.

(A) _____ (B) _____

고1 3월응용

10 다음 글을 읽고, 주어진 질문에 대한 답을 완성하시오.

Those born in the United States tend to be high disclosers, even showing a willingness to disclose information about themselves to strangers. This may explain why Americans seem particularly easy to meet and are good at cocktail party conversation.

Q: Why do Americans seem particularly easy to meet?

A: They tend to _____

_____

_____.

1 다음 밑줄 친 동사를 알맞은 형태로 고치시오.

> (1) Swedish massage involves long, deep strokes and is very _____ (relax).
> (2) He found his car _____ (scratch) by someone and was furious.

(1) _____ (2) _____

2 다음 문장에서 밑줄 친 단어를 각각 꾸며 주는 말을 찾아 쓰시오.

> When her parents passed away, she didn't have <u>anyone</u> to depend on or <u>anywhere</u> to go.

anyone ➡ _____

anywhere ➡ _____

3 다음 문장을 분사를 이용하여 빈칸을 완성하시오.

> He opened the Valentine's Day gift which was wrapped in red paper and gold ribbon.

➡ He opened the Valentine's Day gift _____

_____ .

4 다음 문장의 빈칸에 알맞은 것은?

> Having friends with other interests keeps life interesting – just think of _____ you can learn from each other.

① who   ② how   ③ what
④ that   ⑤ when

5 다음 문장에서 어법상 어색한 것을 찾아 고치시오.

> Years ago, before electronic resources were such a vital part of the library environment, we had only to deal with noise producing by people.

_____ ➡ _____

✎ 고1 3월 응용
6 다음 문장에서 that의 위치로 알맞은 곳은?

> The reality (①) is (②) most people (③) will never have enough (④) education (⑤) in their lifetime.

①   ②   ③   ④   ⑤

7 다음 밑줄 친 부분의 우리말을 바르게 영작한 것은?

> Charles Henry Turner was the first person <u>곤충이 학습할 수 있다는 것을 발견한</u>, illustrating that insects can alter behavior based on previous experience.

① discover that insects are capable of learning

② discover that insects are capable in learning

③ discovered that insects are capable of learning

④ to discover that insects are capable of learning

⑤ discovering that insects are capable in learning

8 밑줄 친 부분 중 어법상 어색한 것은?

① All of my project members agreed <u>to go</u> to the library.

② The doctor advised Kevin <u>eating</u> more vegetables.

③ <u>Playing</u> chess with my father is fun.

④ Many illness are caused by <u>overeating or smoking</u>.

⑤ It triggers an instinctive desire <u>to repay</u> the provider.

✎ 고1 9월응용

9 다음 글의 빈칸에 알맞은 것을 <u>모두</u> 고르시오.

> Several minutes later the conductor turned around from the front of the traincar to see Einstein _____ to search under his seat for the missing ticket.
>
>

① continue   ② continues

③ continuing   ④ continued

⑤ was continued

✎ 고1 9월응용

10 다음 글의 문맥에 맞게 네모에서 알맞은 말을 고르시오.

> This theory could explain in part why time feels slower for children. (A) Assigning / Assigned the enormous task of absorbing and processing all this new information around them, their brains are continuously alert and attentive. Why? Because everything is unfamiliar. Consider the mind of a child: having experienced so little, the world is a mysterious and (B) fascinating / fascinated place.

(A) _____

(B) _____

A 다음 글을 읽고, 1~5형식 문장을 찾아 쓰시오.

> There is an important person in my life. It's my grandfather. My grandfather was an umbrella, a supporter, and on my side in everything. He always encouraged me to have a positive mind. He died ten years ago. My grandfather's death gave me a completely different look at life. I feel that he remains in my heart forever.

[1형식] _____

[2형식] _____

[3형식] _____

[4형식] _____

[5형식] _____

B 다음 문장을 <조건>에 맞게 다시 쓰시오.

🖉 고1 9월 응용

1 To reward all of your child's accomplishments is a mistake.

가주어 It 사용 _____

2 Sam often hesitates about what he should do next.

의문사 + to부정사 사용 _____

3 My mom made us an apple pie.

3형식 문장으로 _____

다음 그림 내용에 맞도록 <보기>에서 표현을 골라 문장을 완성하시오.

1

I expect _____ from many people.

2

My younger brother's goal is _____
_____ in the woods.

3

_____ when Jason just got up and left.

4

The hotel where I stayed had a very _____
_____.

• 보기 •

• everyone was shocked	• everyone was shocking
• to receive birthday cards	• receiving birthday cards
• build a small house	• building a small house
• welcoming atmosphere	• welcomed atmosphere

A 다음 중 알맞은 단어 카드를 골라 문장을 완성하시오.

1 Drinking lots of water ☐ keep / ☐ keeps our skin healthy.

2 The problem is ☐ if / ☐ whether or not this is a good way to persuade him.

3 It is a well-known fact ☐ that / ☐ what caffeine is a stimulant.

B 밑줄 친 명사를 수식하는 형용사구를 찾아 밑줄을 긋고, 우리말의 빈칸을 완성하시오.

1 A few hours later, there was a ‘CLOSED’ sign hanging on the door.

➡ 몇 시간 후에 가게 문에 ‘영업 종료’라는 _____.

2 He stared at me with a look filled with doubt.

➡ 그는 _____ 나를 쳐다보았다.

3 Brian is not the kind of person to trust.

➡ Brian은 _____ 이 아니다.

C 다음 두 문장을 한 문장으로 바꿀 때, 빈칸에 알맞은 말을 쓰시오.

1   I couldn't remember. Where had I seen him before?

➡ I couldn't remember where _____ him before.

2   I wonder .... Did you receive my e-mail yesterday?

➡ I wonder _____ .

D <보기>의 문장과 주어진 단어를 참고하여 그림의 내용에 알맞은 문장을 완성하시오.

> • 보기 •
> It is important to break the record.

1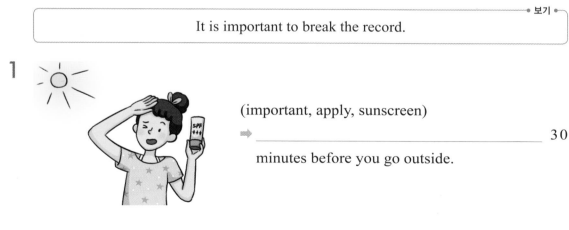

(important, apply, sunscreen)

➡ _____ 30

minutes before you go outside.

2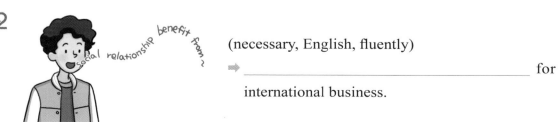

(necessary, English, fluently)

➡ _____ for

international business.

1 다음 문장 중 어법상 <u>어색한</u> 것은?

① Birds are flying over the river.

② I saw him loitering on the corner.

③ I passed to the store clerk my credit card.

④ My mom bought me a book about career choices.

⑤ Sam has pulled himself together and studies hard.

2 다음 빈칸에 알맞은 말이 순서대로 짝지어진 것은?

- I've got some personal items _____ you.
- Some universities gave a special gift _____ their freshmen.

① of – for   ② to – for

③ for – of   ④ to – of

⑤ for – to

✎고1 3월

3 다음 밑줄 친 부분 중 어법상 어색한 것을 골라 바르게 고 쳐 쓰시오.

①All these goods ②are shared and ③a spirit of community ④makes all participants ⑤be happier.

➡ _____

✎고1 9월

4 진주어를 찾아 쓰고, 전체 문장을 우리말로 쓰시오.

It is easy to judge people based on their actions.

- 주어: _____

- 해석: _____

✎고1 9월

5 다음 빈칸에 주어진 단어의 알맞은 형태를 쓰시오.

In Franklin's opinion, asking someone for something _____ (be) the most useful and immediate invitation to social interaction.

➡ _____

6 다음 빈칸에 공통으로 알맞은 말을 쓰시오. (소문자로 쓸 것)

- It is arguable _____ or not the case should have ever gone to trial.
- _____ he will come here soon is not clear.

➡ _____

7 다음 빈칸에 알맞은 것을 <u>모두</u> 고르시오.

> The beginning of growth comes when you begin _____ responsibility for your choices.

① accept

② accepts

③ accepted

④ to accept

⑤ accepting

8 〈보기〉의 문장을 참고하여 주어진 두 문장을 한 문장으로 고쳐 쓰시오.

> ● 보기 ●
> It is unbelievable that you served me delicious food.

> • It is unbelievable.
> • Young people aged 6 to 24 influence about 50% of all spending in the U.S.

➡ _____

_____

📝 고1 3월

9 다음 밑줄 친 우리말과 같도록 괄호 안의 단어를 바르게 배열하여 쓰시오.

> When Fred first met his German hosts, he shook hands firmly, greeted everyone in German, and <u>고개를 약간 숙여 인사하는 것까지도 기억했다</u> as is the German custom.
>
>

(bow, to, even, remembered, the, slightly, head)

➡ _____

📝 고1 6월 응용

10 밑줄 친 부분의 우리말을 〈조건〉에 맞게 영어로 쓰시오.

> <u>친밀함과 의미 있는 관계를 추구하는 것은</u> has been vital for human survival.

조건
1. 주어진 표현을 사용하여 다섯 단어로 쓸 것
   seek / closeness / meaningful / relationships
2. 동명사구 주어로 쓸 것

➡ _____

11 다음 밑줄 친 단어의 알맞은 형태를 쓰시오. (단, 현재형으로 쓸 것)

> To become a player in the United States _____ (be) his ultimate goal.

➡ _____

12 다음 빈칸에 알맞은 말이 순서대로 짝지어진 것은?

> • _____ you did today was brave, and we are all proud of you.
> • It is necessary _____ you treat people around you fairly and without bias.

① What – what   ② What – that
③ What – how   ④ That – how
⑤ That – what

고1 6월

13 우리말과 같도록 괄호 안의 단어를 배열하어 문장을 완성하시오.

> 이 경우, 응답자의 68%가 5달러를 아끼기 위해 그 가게에 가기로 결심했다.

(to, way, down, make, decided, their)

➡ In this case, 68% of respondents _____ _____ to the store in order to save $5.

고1 3월응용

14 다음 밑줄 친 부분 중 어법상 어색한 것은?

> If you ① tried to copy the original rather than your imaginary drawing, you ② might find your drawing now ③ was a little better. Furthermore, if you copied the picture many times, you would find ④ what each time your drawing would get ⑤ a little better, a little more accurate.

①   ②   ③   ④   ⑤

고1 3월

15 다음 글의 빈칸 (A), (B)에 알맞은 말이 순서대로 짝지어진 것은?

> Imagine in your mind one of your favorite paintings, drawings, cartoon characters or something equally complex. Now, with that picture in your mind, try to draw ___(A)___ your mind sees. Unless you are unusually gifted, your drawing will look completely ___(B)___ from what you are seeing with your mind's eye.

　　(A)　　　(B)
① that　– different
② what　– differently
③ that　– differently
④ what　– different
⑤ how　– different

16 고1 3월 응용

다음 (A), (B)에 주어진 단어를 알맞은 형태로 쓰시오.

Clothing that is appropriate for exercise and the season (A) _____ (improve) your exercise experience. In warm environments, clothes that have a wicking capacity (B) _____ (be) helpful in dissipating heat from the body.

(A) _____

(B) _____

17 고1 11월 응용

다음 밑줄 친 부분과 바꿔 쓸 수 <u>없는</u> 것은?

They have employees who <u>do not mind going</u> the extra mile for their boss.

① can go
② are willing to go
③ are unwilling to go
④ do not avoid going
⑤ are not reluctant to go

18 다음 밑줄 친 부분과 바꿔 쓸 수 있는 것은?

The natural world provides a rich source of symbols <u>which are used</u> in art and literature.

① use   ② uses   ③ using
④ to use   ⑤ used

19 고1 3월

다음 글을 읽고, 글의 요지의 빈칸에 알맞은 말을 쓰시오.

You are free to choose what you want to make of your life. It's called free will and it's your basic right. What's more, you can turn it on instantly! At any moment, you can choose to start showing more respect for yourself or stop hanging out with friends who bring you down. After all, you choose to be happy or miserable.

➡ You can _____ whether to be _____ or _____.

20 고1 9월

다음 네모에서 어법상 알맞은 말을 고르시오.

Subjects played a computerized driving game in which the player must avoid (A) to crash / crashing into a wall that appears, without warning, on the roadway. Steinberg and Gardner randomly assigned some participants (B) play / to play alone or with two same-age peers looking on.

(A) _____

(B) _____

1 다음 두 문장을 한 문장으로 쓰시오. ('형용사적 용법의 to부정사'를 사용할 것)

> • I have no one.
> • No one will help me.

➡ _____

2 다음 밑줄 친 부분에서 어색한 표현을 바르게 고쳐 쓰시오.

> (1) They were never seeing their family again.
> (2) I have very important something to discuss with you.

(1) _____

(2) _____

3 다음 네모에서 어법상 알맞은 말을 고르시오.

> The results revealed that / what those who had engaged in fantasizing about the desired future did worse in all three conditions.

➡ _____

4 다음 밑줄 친 부분 중 어법상 어색한 것은?

① I wonder if the answer is right.

② Do you know where he is from?

③ Please tell me how you can solve the puzzle.

④ I don't know why he wants to go there.

⑤ Can you tell me what time does the movie start?

5 다음 문장의 빈칸에 들어갈 수 없는 표현은?

> My grandmother _____ fast food for my health.

① made me to quit

② advised me to quit

③ wanted me not to eat

④ told me not to eat

⑤ advised me to stop eating

✎고1 9월

6 우리말과 같도록 괄호 안의 말을 활용하여 문장을 완성하시오. (다섯 단어로 쓸 것)

> 그는 무책임한 아이를 다루는 책임감 있는 사람이었다.

(deal with, irresponsible, kid)

➡ He was a responsible man ＿＿＿＿＿

＿＿＿＿＿＿＿＿＿＿＿.

✎고1 9월

7 다음 우리말을 영어로 쓸 때, 괄호 안의 단어를 바르게 고쳐 쓰시오.

> 뇌우가 몰아치는 동안, 구름이 서로 맞비벼질 때 충전될 수 있다.
> ➡ During a thunderstorm, clouds may become ＿＿＿＿＿ (charge) as they rub against each other.

➡ ＿＿＿＿＿＿＿＿＿＿＿

8 다음 문장에서 접속사 that의 위치로 가장 알맞은 곳은?

> (①) Games like (②) football and baseball (③) require (④) players observe (⑤) the rules so that fair play is ensured.

① ② ③ ④ ⑤

✎고1 11월응용

9 다음 밑줄 친 부분의 우리말에 맞도록 괄호 안의 단어를 배열하여 쓰시오.

> Some repetition gives us a sense of security, in that we know 다음에 무엇이 올지. We like some predictability. We do arrange our lives in largely repetitive schedules.

(next, is, what, coming)

➡ ＿＿＿＿＿＿＿＿＿＿＿

✎고1 6월응용

10 다음 네모에서 알맞은 말을 고르시오.

> (1) In early 19th century London, a young man ｜naming / named｜ Charles Dickens had a strong desire to be a writer.
> (2) There is a very old story ｜involving / involved｜ a man trying to fix his broken boiler.

(1) ＿＿＿＿＿＿＿＿＿＿＿

(2) ＿＿＿＿＿＿＿＿＿＿＿

11 다음 문장 중 어법상 어색한 것은?

① I can't decide whether to go or not.

② I don't know if or not she is married.

③ I don't know whether or not the report is true.

④ There remains the question whether she knew the secret.

⑤ The problem was whether we should call an ambulance at once.

✎고1 9월 응용

12 밑줄 친 부분 중 어법상 어색한 것을 찾아 고치시오.

> Social ①lies such as ②making deceptive but ③flattered comments ④may ⑤benefit mutual relations.

_____ ➡ _____

13 다음 밑줄 친 우리말을 다섯 단어의 영어로 쓰시오.

> These singers again showed 기술이 어떻게 사용될 수 있는지를 to bring people together.

➡ _____

14 다음 빈칸에 알맞은 말로 짝지어진 것은?

> (1) She didn't let her children _____ chocolate.
> (2) There are many benefits of this electrical technology which makes our lives more _____.

① eat – convenient

② eating – convenient

③ eating – convenient

④ eat – conveniently

⑤ to eat – conveniently

✎고1 11월

15 다음 글의 네모에서 어법상 알맞은 것을 고르시오.

> What if the old man does not return with the money? He regretted to fix up / fixing up the old man's bicycle.

➡ _____

✎고1 11월

16 다음 괄호 안의 단어를 문맥에 맞게 고쳐 쓰시오.

> In this stage, we can even imagine ourselves victoriously _____(dance) on the top of that mountain, feeling successful and ultimately happy.

➡ _____

✐ 고1 11월

17 다음 빈칸에 알맞은 것을 <u>모두</u> 고르시오.

> The artist Pablo Picasso used Cubism as a way to help us _____ the world differently.

① see ② sees ③ saw
④ seeing ⑤ to see

✐ 고1 6월

18 다음 글의 내용과 일치하지 <u>않는</u> 것은?

> Every event that causes you to smile makes you feel happy and produces feel-good chemicals in your brain. Force your face to smile even when you are stressed or feel unhappy. The facial muscular pattern produced by the smile is linked to all the "happy networks" in your brain and will in turn naturally calm you down and change your brain chemistry by releasing the same feel-good chemicals.

① 강제 미소는 당신을 진정시킬 수 있다.
② 미소에 의해 행복 연결망과 연결된다.
③ 행복을 느끼면 뇌에서 화학물질이 생성된다.
④ 미소가 기분 좋게 하는 화학물질을 내보낸다.
⑤ 불행할 때 눈물을 흘리면 행복 연결망과 연결된다.

✐ 고1 11월

19 빈칸에 알맞은 말이 바르게 짝지어진 것은?

> Focusing on the differences among societies _____ a deeper reality. Imagine _____ two hills while standing on a ten-thousand-foot-high plateau. Seen from your perspective, one hill appears to be three hundred feet high, and the other appears to be nine hundred feet.

① conceal – study
② conceal – studying
③ conceal – to study
④ conceals – studying
⑤ conceals – to study

20 다음 〈조건〉에 맞게 우리말을 영어로 쓰시오.

> 창가에서 일을 하거나 책상 전등에 모든 파장이 있는 전구를 사용하는 것을 실험해 보라.

조건
1. 다음 표현을 사용할 것.
experiment / with working by / full spectrum bulbs / desk lamp
2. 'try + to부정사 / try + 동명사' 중에서 알맞은 표현을 쓸 것.

➡ _____

_____

Picture Puzzle

정답과 해설 **78**쪽

💎 그림과 <보기>의 우리말에 알맞은 말을 영어로 넣어 크로스워드 퍼즐을 완성해 보시오.

• 보기 •

Across
1. 무관심
6. 논쟁
9. 황제
10. 대화

Down
2. 기르다
3. 망치
4. 숫자, 수치
5. 다가오다
7. 못
8. 울타리

1일 기초 확인 문제   9쪽

1 (1) The old man answered in three words.
            S   V   M

→ 그 노인은 세 단어로 대답했다.

(2) He raised some horses and cows in his farm.
    S   V   O   M

→ 그는 농장에서 몇 마리의 말과 소를 키웠다.

(3) Nauru is an island country in the southwest Pacific
    S   V   C   M

Ocean. → Nauru는 남서 태평양에 있는 섬나라이다.

(4) Bees provide us with honey.
     S   V   O   M

→ 벌은 우리에게 꿀을 준다.

2 (1) 3

→ 두 통의 훈훈한 편지를

(2) 1

→ 중요한 차이점이

(3) 2

→ 울타리는, 무거웠다

(4) 1

→ 그녀 나이 또래의 백인 소녀 두 명이

---

1 (1) 전치사구 in three words는 수식어이다.
(2) and의 앞뒤에 오는 말이 한 덩어리인지를 확인한다. some horses and cows는 목적어이다.
(3) be동사 뒤에 오는 명사어구는 주어를 설명하는 보어이다.
(4) '타동사 + 목적어 + 전치사구'의 3형식 문장이다.

2 (1) sent off는 하나의 동사로 보고 뒤에 목적어가 오는 것에 유의한다.
(2) There is/are ~. 구문은 뒤에 주어가 오는 1형식 문장이고, '~가 있다.'라는 의미이다.
(3) '주어 + be동사 + 보어(형용사)' 형태의 2형식 문장이다.
(4) '주어 + 동사' 형태의 1형식 문장이다. among a lot of dolls는 수식어이다.

1일 기초 확인 문제   11쪽

3 (1) He passed the ball to Owen.
    S   V   O   M

→ 그는 공을 Owen에게 패스했다.

(2) I gave your puppy a treat.
   S V   IO   DO

→ 내가 너의 강아지에게 간식을 주었다.

(3) Newspaper headlines called the man
         S   V   O

a "spelling bee hero."
       OC

→ 신문기사 헤드라인은 그 남자를 '단어 철자 맞히기 대회 영웅'이라고 불렀다.

(4) Many people are listening to Jane play the flute
      S   V   O   OC

on the street.
   M

→ 많은 사람들이 Jane이 거리에서 플루트를 연주하는 것을 듣고 있다.

4 (1) 4

→ 참가자들에게 그 사진을 건네주었다

(2) 4

→ 무서운 이야기를

(3) 5

→ 이동을, 어렵게

(4) 5

→ 식당에서 혼자 식사하는

---

3 (1) 4형식 문장인 He passed Owen the ball.을 3형식으로 바꿔 쓴 문장이다.
(2) 'give + 간접목적어 + 직접목적어'의 4형식 문장이다.
(3) 목적격보어는 목적어를 보충 설명해 주는 말로 명사, 명사어구, 형용사가 온다.
(4) listen to는 지각동사이므로 목적격보어로 동사원형이나 현재분사를 쓴다.

4 (1) hand A B: A에게 B를 건네다, 전달하다(= hand B to A)
(2) tell A B: A에게 B를 말해 주다(= tell B to A)
(3) 사역동사(make) + 목적어 + 목적격보어(형용사)
(4) 지각동사(see) + 목적어 + 목적격보어(동사원형)

사 melancholy를 수식하는 부사이다.

해석 ① 나는 어제 기분이 끔찍했다.

② 나는 어제 정말 멍청이처럼 느껴졌다.

③ 나는 어제 심한 감기에 걸린 것처럼 느꼈다.

④ 나는 어제 아주 작은 새처럼 느꼈다.

⑤ 나는 어제 다소 우울했다.

7 ① 5형식 find의 목적어를 보충 설명하는 목적격보어는 형용사가 와야 하므로 heavy를 쓴다.

②의 cook 다음에 직접목적어(pasta)가 왔으므로 간접목적어(me) 앞에는 전치사 to 또는 for가 와야 한다.

⑤ shocking은 '충격적인'의 뜻이므로 shocked(충격을 받은)을 써야 한다.

해석 ① 나는 그 가방이 무겁다는 것을 알았다.

② 그는 나에게 파스타를 요리해 줄 것이다.

③ 그녀는 상자를 흰색으로 칠했다.

④ 그는 나에게 그의 주소를 알려주지 않았다.

⑤ 모든 사람이 그 소식 때문에 충격을 받았다.

8 see는 지각동사이므로 목적격보어로 동사원형과 진행의 의미인 현재분사를 쓸 수 있다.

---

1 _일 적중 예상 베스트   12~13쪽

1 ④

2 The students remained silent in the library.

3 My brother called me a rabbit because of my red eyes.

4 ②

5 His concert made his parents happy.

6 ②   **7** ③, ④   **8** ①, ④

---

1 ④ '동사 + 간접목적어 + 직접목적어'의 4형식 문장을 '동사 + 직접목적어 + 전치사 + 간접목적어'의 3형식 문장으로 바꿔 쓸 수 있다. 여기서는 He didn't build a robot for her.나 He didn't build her a robot.으로 쓸 수 있다.

해석 ① 나는 너의 카메라를 가져오는 것을 잊었다.

② 나의 아빠는 우리에게 맛있는 식사를 요리해 주셨다.

③ 나는 너에게 몇 가지 조언을 할 것이다.

④ 그는 그녀를 위해 로봇을 만들어 주지 않았다.

⑤ 그 인형은 사랑스러워 보이지 않는다.

2 'remain + 형용사'에서 remain은 2형식 동사로 '~인 채로 있다'의 의미이다.

침묵을 지키다: remain silent

도서관에서: in the library

3 A를 B라고 부르다: call A B(5형식 '동사 + 목적어 + 목적격보어' 구문)

~ 때문에: because of

4 첫 번째 문장은 5형식으로 목적어가 the new episode of the TV show이고 목적격보어로 형용사 interesting(재미있는)이 온다. 두 번째 문장의 'turn + 형용사'는 '~해지다, ~로 바뀌다'의 뜻이다.

with embarrassment: 당황해서

해석 • 그는 그 TV 쇼의 새 에피소드가 재미있다는 것을 알았다.

• Jim은 당황해서 얼굴이 빨개졌다.

5 5형식의 사역동사 make는 목적격보어로 동사원형 또는 형용사를 쓸 수 있다.

6 feel은 2형식 감각동사로 'feel + 형용사' 또는 'feel like + 명사'로 쓰이므로 ②의 명사어구는 like와 함께 쓰여 felt like a right idiot으로 써야 한다. ⑤의 a little(약간, 다소)은 형용

---

2 _일 기초 확인 문제   17쪽

1 (1) Being on time, 시간을 잘 지키는 것은

(2) To be a good friend, 좋은 친구가 된다는 것은

(3) the voices of Asia, 아시아의 목소리는

(4) The purse designed by the famous painter, 그 유명한 화가가 디자인한 지갑은

2 (1) will I allow you to go

(2) To treat people unfairly is

(3) Bringing in some cookies once in a while

(4) his mother's fear for his life

---

1 (1) 동명사구 주어

해석 시간을 잘 지키는 것은 너에게 좋은 첫 인상을 만드는 데 도움을 줄 것이다.

(2) to부정사구 주어

해석 좋은 친구가 된다는 것은 항상 진정한 이해를 제공하는 것이다.

(3) 부사어구가 앞에 오는 경우로 주어가 항상 앞에 오지 않는 것에 유의한다.

[해석] 아시아 전역에서, 아시아의 목소리는 정치, 문화, 경제적으로 서구의 지배에 작별을 고하고 있다.

(4) 핵심 주어는 The purse이고, 분사어구 designed by the famous painter가 주어를 수식하고 있다.

[해석] 그 유명한 화가가 디자인한 지갑은 매우 인기가 있다.

2 (1) 부정어 no가 문장 앞에 나오면 주어와 동사를 도치하는 것에 유의하여 will I allow로 쓴다.

(2) to부정사구 주어
대우하다: treat, 불공평하게: unfairly

[해석] 시간을 잘 지키는 것은 너에게 좋은 인상을 만드는데 도움을 줄 것이다.

(3) 동명사구 주어
이따금씩: once in a while

(4) 부사구가 앞에 나오고 이어서 주어가 문장 중간에 나온다.
~의 생사에 대한: for one's life

2일 기초 확인 문제   19쪽

3 (1) 나의 형이 시험을 통과한 것이 모두를 놀라게 했다.
(2) 나의 식습관을 어떻게 해야 할지 모르겠다.
(3) 정말 무서운 공포 영화가 올 여름에 상영될지는 미지수이다.

4 (1) is (2) why (3) is (4) that

3 (1) surprised가 동사이고 그 앞부분이 주어이므로 '형이 시험을 통과했다는 것이 모두를 놀라게 했다.'가 알맞다.

(2) what 이하는 목적절이고 의문사절이다.
eating habit: 식습관

(3) It ... whether ~. 구문으로 whether 절이 진주어이다. whether절은 '~인지 아닌지'라는 뜻으로 불확실한 정보를 나타낸다.

4 (1) That절 주어는 단수동사를 쓴다.
(2) 의문사 '왜'의 의미의 의문사절이 진주어이다.
(3) What ~ bothersome이 주어이고 단수동사를 써야 한다.
(4) 내용상 의문사 what이 올수 없고 절 속의 문장이 완전한 문장이므로 접속사 that을 쓴다.

2일 적중 예상 베스트   20~21쪽

1 ③ are → is
2 to produce two pounds of meat
2파운드의 고기를 생산하는 것은
3 how often people depend on this kind of nonsense
4 ④   **5** The point to remember, 기억해야 할 점은
6 ⑤   **7** are
8 it became clear that he couldn't do a good job at both

1 동명사구인 providing students with complex texts가 주어이므로 동사는 단수동사 is를 써야 한다.

[해석] 단순히 학생들에게 복잡한 텍스트를 제공하는 것만으로는 학습이 일어나기에 충분하지 않다.

2 to부정사구인 to produce two pounds of meat가 주어로 쓰여 '~하는 것은'으로 해석한다. 이 때 단수동사를 써야 하는 것에 유의한다.

[해석] 예를 들어, 2파운드의 고기를 생산하는 것은 2파운드의 채소를 생산하는 것보다 약 5~10배의 많은 물이 필요하다.

3 How often people depend on this kind of nonsense is surprising.에서 주어가 너무 길어서 가주어 It을 주어로 하고 의문사절을 뒤로 보내어 It is surprising how often people depend on this kind of nonsense.로 쓴 것이다.

[해석] 사람들이 이런 형태의 터무니없는 말을 얼마나 자주 하는지가 놀랍다.

4 ① 동명사구 ② 명사구 ③ whether 명사절 ⑤ 명사구(the boy drove into the fence는 The number of nails를 수식하는 형용사절이다) 등 모두 주어로 쓰였다. ④는 감탄문으로 he가 주어이다.

[해석] ① 화를 참는 것이 누군가를 해치는 것보다 내게는 더 쉬웠다.
② 책상 위의 전화벨이 끈질기게 울렸다.
③ 내가 기말고사를 치를지 안 치를지는 다른 이야기다.
④ 도서관에서 그는 기침이 정말 심하네요!
⑤ 소년이 울타리에 박은 못의 수는 점점 줄어들었다.

5 주어 The point to remember의 핵심 주어 The point를 to부정사가 수식하고 있다.

6 • The thing I dislike the most가 주어이고 핵심 주어는

The thing이므로 동사는 단수동사 is를 쓴다.
- Sending messages는 동명사 주어로 단수동사 is를 쓴다.
be not allowed: 허용되지 않다

해석 · 내가 가장 싫어하는 것은 거짓말쟁이이다.
· 메시지를 보내는 것은 수업 중에는 허용되지 않는다.

7 clothes that have a wicking capacity에서 핵심 주어는 clothes이므로 복수동사 are를 써야 한다. that 이하는 clothes를 수식하는 주격 관계대명사 that절이다.

해석 따뜻한 환경에서는 수분을 흡수하거나 배출할 수 있는 기능을 가진 옷이 몸에서 열을 발산하는 데 도움이 된다.

8 주어인 that he couldn't do a good job at both가 길어져서 'It .... that ~'의 '가주어-진주어' 구문으로 쓴다.
over time: 시간이 흐르면서
~을 잘할 수 있었다: could do a good job at ~
명확해지다: become clear

3 일 기초 확인 문제 25쪽

1 (1) having (2) to normalize
   (3) talking, to talk (4) to rent
2 (1) tried retrieving (2) try to keep
   (3) forgot to send (4) forget seeing

1 (1) avoid는 동명사를 목적어로 취한다.
   해석 Tom은 여자 친구와 Jane에 대해 대화하는 것을 회피했다.
   (2) agree는 to부정사를 목적어로 취한다.
   해석 그 두 나라는 관계를 정상화하기로 합의했다.
   (3) continue는 동명사와 to부정사 모두를 목적어로 취한다.
   해석 그 정치인은 사회 문제에 대해 계속해서 이야기했다.
   (4) decide는 to부정사를 목적어로 취한다.
   해석 우리는 휴가를 위해 차를 빌리지 않기로 결정했다.

2 (1) try + 동명사: 시험 삼아 ~해 보다
   (2) try + to부정사: ~하기 위해 노력하다
   (3) forget + to부정사: ~할 것을 잊다
   (4) forget + 동명사: ~했던 것을 잊다

3 일 기초 확인 문제 27쪽

3 (1) I didn't expect that he would give away his umbrella.
   (2) I want to know if Jane liked the musical "Aida."
   (3) We could not understand what the guide explained.
   (4) I asked why he used these old bicycle parts.
4 (1) whether (2) what (3) what (4) why

3 (1) 선뜻 내놓다: give away
      나는 ~을 기대하지 않았다: I didn't expect that ~
   (2) ~인지 아닌지를 알고 싶다: I want to know if ~
   (3) 가이드가 설명해 주는 것을: what the guide explained
   (4) why 의문사절을 목적어로 하는 문장을 쓸 수 있다. 의문사 명사절은 '의문사 + 주어 + 동사'의 어순으로 써야 한다.

4 (1) '~인지 아닌지를 묻다'는 'ask if(whether) + 주어 + 동사'를 쓴다.
   (2) 명사절 안의 문장이 불완전하므로 선행사를 포함한 관계대명사 what을 쓴다.
   (3) '무슨 일이 있었는지'의 의미이므로 의문사 what이 필요하다.
   (4) '왜 울고 있는지'의 의미이므로 의문사 why를 써야 한다.

3 일 적중 예상 베스트 28~29쪽

1 ③
2 hate talking(to talk) to others first
3 She avoided mentioning the incident.
4 ④
5 don't know what to do
6 ⑤   **7** ③
8 한국 운동 선수들이 국제 대회에서 계속해서 선전하기를

1 '시위를 막기 위해 노력했다'의 뜻이므로 'try + to부정사'를 써야 한다. stopping이 아니라 to stop을 쓴다.
   해석 ① 나는 그에게 편지 쓰는 것을 멈췄다.
   ② 너는 그걸 타 보기는 했니?
   ③ 경찰은 거리 시위를 막기 위해 노력했다.

④ 나는 외식을 해도 상관없다.

⑤ 그 두 그룹은 서로 협력하는 것에 동의했다.

2 hate는 동명사와 to부정사 모두를 목적어로 취하는 동사이다.

수줍어하는 사람들: shy people

~에게 말 거는 것을 싫어하다: hate talking〔to talk〕to ~

3 avoid는 동명사를 목적어로 취하는 동사이다.

언급을 회피하다: avoid mentioning

4 enjoy는 동명사를 목적어로 취하고, vow는 to부정사를 목적어로 취하는 동사이다. to부정사의 부정은 'not + to부정사'이다.

해석 • 신은 개구리 소리를 듣는 것을 즐기고 있었다.

• Toby는 그 소년을 잊지 않기로 맹세했다.

5 '의문사 + to부정사'를 목적어로 쓸 수 있다.

무엇을 해야 할지를: what to do

6 동사 remember의 목적어로 쓰인 의문사 명사절로 '의문사 + 주어 + 동사'의 어순으로 써야 하므로 when the fire broke out으로 쓴다.

해석 ① 나는 어떻게 그곳에 갔는지 기억나지 않는다.

② 나는 내가 무엇을 하고 있었는지 기억나지 않는다.

③ 나는 그녀가 개가 있었는지 기억나지 않는다.

④ 나는 그녀가 어떤 음식을 가장 좋아했었는지 기억나지 않는다.

⑤ 나는 언제 불이 났는지 기억나지 않는다.

7 means의 목적절인 you will succeed sometime과 you will never succeed 모두 완전한 문장이므로 앞에 접속사 that을 써야 한다.

해석 위험을 무릅쓰는 것은 언젠가 당신이 성공할 것임을 의미한다. 그러나 위험을 전혀 무릅쓰지 않는 것은 당신이 결코 성공하지 못할 것임을 의미한다.

8 expect that ~: ~을 기대하다

keep -ing: 계속해서 ~하다

4일 **기초 확인 문제** 33쪽

1 (1) remain neutral (2) be confusing (3) is that
(4) never to see (5) to look

2 (1) surprised (2) to be (3) to have (4) scared

1 (1) remain + 형용사: ~인 채로 있다

(2) 감정동사 confuse는 형용사로 굳어진 분사 confusing (혼란스러운), confused(당황한)로 쓰인다.

(3) virtue is the midpoint가 완전한 문장이므로 is 뒤에 보어 역할을 하는 명사절을 이끄는 접속사 that을 쓴다.

(4) 'be동사 + to부정사' 구문은 '예정, 의무, 가능, 운명, 의지' 등의 의미를 나타낸다. 여기서는 '다시는 만나지 못할 운명이었다'의 뜻이므로 부정사 앞에 부정어 never를 써서 was never to see가 알맞다.

(5) be동사 다음에 주격보어로 동명사나 to부정사가 올 수 있지만, 뒤의 fix가 동사원형으로 쓰였으므로 앞의 look은 to부정사를 써서 fix와 병렬을 이루도록 한다.

2 (1) surprised: 놀란 surprising: 놀라운

해석 Susan은 그 책의 성공에 놀랐다.

(2) appear + to부정사: ~처럼 보이다

해석 우리가 흔들리고 있는 것처럼 보인다.

(3) seem + to부정사: ~처럼 보이다

해석 우리 전화가 혼선이 된 것 같다.

(4) Jim이 겁먹은 것이므로 과거분사 scared가 알맞다. 'so + 형용사/부사 + that …'(너무 ~해서 …하다) 구문으로 쓰였다.

해석 Jim은 너무 놀라서 바닥에 쓰러졌다.

4일 **기초 확인 문제** 35쪽

3 (1) smile, feel (2) help, start (3) TV installed
(4) find, returning

4 (1) burning (2) carried (3) parked (4) frozen

3 (1) '사역동사 make + 목적어 + 동사원형' 구문으로 and 앞뒤의 형태도 같아야 하므로 and 뒤에도 동사원형을 쓴다.

(2) 'help + 목적어 + 동사원형' 구문이다.

(3) TV가 설치되어야 하는 수동 관계이므로 TV installed를 쓴다.

(4) 그들 자신이 '~로 되돌아가고 있는' 것이므로 능동과 진행의 의미인 현재분사 returning을 쓴다.

4 (1) '무엇인가가 타고 있는'의 뜻이므로 진행의 의미인 현재분사 burning을 쓴다.

[해석] 내 사무실 근처에서 무언가 타는 냄새가 났다.

(2) 그의 가방이 '운반되게' 하는 수동의 뜻이므로 과거분사 carried가 알맞다.

[해석] 그 유명한 마술사는 그의 가방을 벨보이에게 방까지 나르게 했다.

(3) 발전기가 누군가에 의해 '놓여진' 것이므로 수동의 의미인 과거분사 parked가 알맞다.

[해석] 우리는 발전기가 우리 집 바로 밖에 놓여 있는 것을 발견했다.

(4) 칠면조가 '얼려진' 것이므로 수동의 의미로 과거분사 frozen이 알맞다.

[해석] 너는 칠면조를 내일까지 얼린 상태로 둬야 한다.

4일 적중 예상 베스트   36~37쪽

1 ②
2 I heard something moving slowly along the walls.
3 (1) to make → made (2) to moving → to move
4 ③   5 ④   6 ③
7 (1) disappointed (2) to ensure
8 buried, 어딘가에 묻힌 채로 있다

1 ②는 '사역동사 + 목적어 + 목적격보어'의 5형식 문장이고 목적격보어로는 명사, 형용사, 동사원형, 과거분사가 올 수 있다. 여기서 happily는 부사이므로 목적격보어로 올 수 없고 형용사인 happy를 써야 한다.
①에서 how to get은 주격보어로 쓰였고 '의문사 + to부정사' 구문이다.
③ 'want + 목적어 + to부정사' 구문
④ to go는 주격보어이다.
⑤ 'ask + 목적어 + to부정사' 구문
[해석] ① 그것을 저렴한 비용으로 어떻게 얻을 수 있느냐가 관건이다.
② 크리스피 도너츠를 먹는 것은 기분을 좋게 한다.
③ 어머니는 내가 그 편지를 읽기를 원하셨다.
④ 내 계획은 워킹홀리데이로 뉴질랜드에 가는 것이었다.
⑤ Jim은 나에게 마감일을 상기시켜 달라고 부탁했다.

2 '지각동사 + 목적어 + 목적격보어' 문장으로 목적격보어가 진행의 의미이므로 현재분사를 써서 heard something moving으로 쓴다.

~을 따라 천천히 움직이다: move slowly along

3 (1) 목적어 the animation movie와 make는 수동의 관계이므로 과거분사 made로 고쳐 써야 한다.
(2) '~해야 한다'는 의미의 'be동사 + to부정사' 구문으로 to move를 써야 한다.
[해석] (1) 나는 하야오 미야자키에 의해 만들어진 애니메이션 영화를 좋아한다.
(2) 당신은 계약에 따라 이달 말이 되기 전에 이사 가야 한다.

4 첫 번째 문장은 명사절이 주격보어로 쓰였다. you tried hard가 완전한 문장이므로 접속사 that을 쓴다. 두 번째 문장은 분사가 형용사처럼 쓰였고 현재분사와 과거분사의 의미가 달라짐에 유의한다.
annoyed: 짜증이 난 / annoying: 짜증나는
indifference: 무관심
[해석] • 중요한 것은 당신이 열심히 노력했다는 것입니다.
• Chris는 그녀의 무관심에 짜증이 났다.

5 'find + 목적어 + 목적격보어(현재분사)' 구문이다. 분사의 부정형은 not을 분사 앞에 쓰므로 not wearing이 알맞다.

6 ③의 allow는 목적격보어로 to부정사를 쓰므로 go를 to go로 고쳐야 한다.
[해석] ① 그는 유리문이 깨져 있는 것을 보았다.
② Jane은 한 남자가 창문을 통해 응시하고 있는 것을 보았다.
③ 아버지는 내가 그곳에 가는 것을 결코 허락하지 않으셨다.
④ 선생님이 내 자리를 교실 앞으로 옮기게 하셨다.
⑤ 법률 비서들은 변호사들이 사건과 관련된 정보를 찾는 것을 돕는다.

7 (1) 감정형용사는 주어가 사람이면 과거분사를 쓴다.
disappointing: (주로 사물이) 실망스러운
disappointed: (사람이) 실망한
(2) be동사의 보어는 to부정사를 쓴다.
[해석] (1) 심사위원들조차도 실망한 것처럼 보였다.
(2) 교육자들의 도전 과제는 기본적인 기술에서의 개별 능력을 보장하는 것이다.

8 '상태를 나타내는 동사 remain+형용사/분사'는 '~인 채로 있다'의 의미이고, 형용사는 주격보어로 쓰였다.
bury: 묻다, 매장하다
[해석] 그 배에서 나온 보물이 오늘날까지 어딘가에 묻힌 채로 있다.

1 (1) to rebel against

　　→ 대부분의 십대들은 반항할 대상을 찾아낸다.

　(2) accomplished

　　→ 그는 자기 세대 중 가장 뛰어난 피아노 연주자였다.

　(3) a teacher – to teach it, students – to take it

　　→ 그 수업은 그것을 가르칠 교사와 그것을 들을 학생들을 필요로 한다.

　(4) to live in

　　→ 투자로서가 아니라 살 집을 사라.

2 (1) popular way to access

　(2) something to be happy about

　(3) no one to blame

　(4) a good way to find

1 (1) '-thing + to부정사' 구문으로 to부정사는 대명사 뒤에서 수식한다.

　(2) 형용사 accomplished는 명사 pianist 앞에서 수식한다.

　(3) to teach it이 a teacher를, to take it이 students를 수식하고 있다.

　(4) a house가 전치사 in의 목적어이므로 to부정사 뒤에 in을 써야 하고, to live in이 a house를 수식한다.

2 (1) '형용사 + 명사 + to부정사'의 순서대로 형용사는 명사의 앞에서, 형용사구(to부정사)는 뒤에서 수식한다.

　　[해석] 유투브는 정보에 접근할 가장 인기 있는 방법이다.

　(2) 'something + to부정사' 구문에서 something은 전치사 about의 목적어이므로 to부정사 뒤에 둔다. something to be happy about으로 써야 한다.

　　[해석] 모든 사람은 행복을 느끼는 무언가를 가지고 있다.

　(3) '~할, ~하는'의 뜻으로 동사가 대명사를 수식할 때 to부정사를 쓰고 대명사의 뒤에서 수식한다.

　　[해석] 그는 어떤 문제에 대해 자신 외에 누구도 탓할 사람이 없다.

　(4) 형용사 수식어는 명사의 앞에 오고, to부정사 수식어구는 명사의 뒤에 오므로 a good way to find로 써야 한다.

　　[해석] 식품 라벨은 식품에 관한 정보를 알아내는 좋은 방법이다.

3 (1) used (2) shining (3) hanging

　(4) written (5) renewed

4 (1) broken (2) repeated

　(3) called, called (4) flying

3 (1) '중고(사용된) 물건'의 의미로 수동의 의미이므로 과거분사 used를 쓴다.

　　[해석] 중고 물건을 파는 상점들은 항상 재미있다.

　(2) '빛이 비치는'이라는 뜻의 shine이 명사 light를 수식하므로 능동 관계로 현재분사를 쓴다.

　　[해석] Dorothy는 부엌에서 비치는 이상한 불빛을 알아차렸다.

　(3) '사무실에 걸려 있는'이라는 능동의 의미로 명사 painting을 수식하므로 현재분사 hanging을 쓴다.

　　[해석] David는 그의 사무실에 걸려 있는 비싼 그림이 한 점 있었다.

　(4) '~에 의해 쓰여진'이라는 수동의 의미이므로 과거분사 written을 쓴다.

　　[해석] J.R.R. Tolkien에 의해 쓰여진 반지의 제왕 시리즈는 판타지 영화의 결정판이었다.

　(5) '새로워진'은 수동의 의미이므로 과거분사 renewed를 쓴다.

　　[해석] 책을 다시 읽는 것은 그 책에 대한 새로워진 이해를 가져다준다.

4 (1) 창문이 '부서진' 것이므로 수동 의미인 과거분사 broken을 쓴다.

　　[해석] 나는 그에게 그 깨진 창문을 수리해 달라고 부탁했다.

　(2) 경험이 '반복되는' 것이므로 수동 의미인 과거분사 repeated를 쓴다.

　　[해석] 반복된 경험은 책을 통해 생겨난 처음의 감정을 되살려준다.

　(3) '~라고 불리는'은 수동의 의미이므로 둘 다 과거분사 called를 쓴다.

　　[해석] Moinee라는 신이 경쟁하는 Dromerdeener이라는 신에게 패배했다.

　(4) '날아가는'은 진행의 의미이므로 현재분사 flying을 쓴다.

　　[해석] 나는 갑자기 하늘에서 이상한 날아가는 물체를 보았다.

1 ④   **2** teach → to teach
3 give your body the opportunity to fill up
4 ①   **5** (1) soothing (2) resulting   **6** called
7 (1) walking (2) to walk   **8** 녹고 있는 빙하

1 ④ sculpture가 '만들어진'이라는 뜻의 수동 관계이므로 과거분사를 써야 한다.
[해석] ① Sam은 먹을 포크가 필요하다.
② Jim이 디자인한 방은 정말 편리하다.
③ 무대에서 노래하는 소년은 내 동생이다.
④ 이것은 Cooper 씨가 만든 조각품입니다.
⑤ 나는 깨진 유리 조각을 밟았다.

2 '-thing/-one/-body(+형용사) + to부정사' 구문이므로 대명사 someone 뒤에는 to부정사가 와야 한다.
[해석] 학교는 과학 수업을 가르칠 누군가를 찾고 있다.

3 4형식 구문 'give + 간접목적어(your body) + 직접목적어(the opportunity)'에서 the opportunity를 to부정사가 수식하고 있다.
선택 사항들: options
~할 기회: opportunity + to부정사
A에게 B를 주다: give A B

4 • 부사 newly는 형용사 opened를 수식하고, 형용사 opened는 명사 theme park를 수식한다.
• paper가 전치사 on의 목적어이므로 to write 뒤에 on을 쓴다.
[해석] 내 친구는 홍콩에 새로 개장한 테마 파크에 갈 계획을 세우고 있다.
• 조교수는 학생들에게 쓸 종이를 주었다.

5 (1) effect를 수식하여 '진정시키는 효과'라는 뜻이다. 능동 관계이므로 현재분사 soothing을 쓴다.
[해석] 일부 소비자들은 피부 진정 효과 때문에 피부용 크림과 유아용품을 구입한다.
(2) lots of casualties를 수식하는 result는 '~로 생긴'이라는 능동의 뜻이므로 현재분사 resulting을 쓴다.
[해석] 우리는 매일, 전 세계에서 교육의 부족으로 인해 생긴 수많은 피해자들을 본다.

6 '주격 관계대명사 + be동사'는 생략할 수 있으므로 '명사(a story) + 과거분사(called)'의 형태가 된다.
[해석] 그것은 St. Benno and the Frog라고 불리는 이야기를 기반으로 한다.

7 (1) 소녀가 걷고 있는 것이므로 능동·진행의 현재분사 walking을 쓴다.
(2) '~하고 있는'의 의미가 아니라 '~할 최적의 시간'의 의미이므로 'best time + to부정사'를 쓴다.
[해석] (1) 우리는 반대편에서 그녀의 가족과 함께 걷고 있는 어린 소녀를 만났다.
(2) 내 애완견과 전원을 걸어 다니기에 최적의 시기이다.

8 melting은 진행의 의미이므로 '녹고 있는'으로 해석한다. Water from melting glaciers and from rain까지가 주어이고 filled가 동사이다.

1 주어: the widespread use of computers, printers, and other equipment
동사: has added
목적어: machine noise
2 about that area's local climate in the past to scientists
3 What, 이 두 가지 상황 모두에서 차이가 있었던 것은
4 ②, ⑤   **5** ④
6 Try finding pleasure in creating things rather than buying things.
7 ⑤   **8** ④   **9** (A) work (B) are
10 be high disclosers, even showing a willingness to disclose information about themselves to strangers

1 핵심 주어 the widespread use를 형용사구 of computers, printers, and other equipment가 수식하여 여기까지가 주어이다. 동사 has added, 목적어 machine noise가 오는 3형식 문장이다.
[해석] 오늘날, 컴퓨터, 프린터, 그리고 다른 장비들의 광범위한 사용은 기계 소음을 증가시켰다.

2 'give + 간접목적어 + 직접목적어'의 4형식 문장을 전치사 to를 써서 'give + 직접목적어 + 전치사 + 간접목적어'의 3형식

문장으로 고쳐 쓴 것이다.

[해석] 나무는 과거의 그 지역 기후에 대한 약간의 정보를 과학자에게 제공해 준다.

3 뒤에 동사 differed가 바로 나오면서 주어가 없는 불완전한 문장이 오므로 관계대명사 What이 적절하다.

[해석] 이 두 가지 상황 모두에서 차이가 있었던 것은 구매의 가격 상황이었다.

4 vow, decide는 목적어로 to부정사를 쓰고, quit, avoid, mind는 동명사를 목적어로 쓴다.

[해석] 사장은 직원들의 이직을 막기 위해 올해 임금 인상을 하기로 맹세했다/결정했다.

5 ④ 'bring + 간접목적어 + 직접목적어'의 4형식 문장이다.

[해석] ① 그 비는 중부지방에서 남쪽으로 이동했다.
② 우리의 과제는 인도주의적 위기를 피하는 것이다.
③ 새로운 무선 기술이 블루투스의 쇠퇴를 가져왔다.
④ 그 일로 그가 엄청난 인기를 얻었다.
⑤ 지방으로 가득 차 있는 낙타의 혹은 낙타가 뜨거운 사막에서 시원하게 지낼 수 있도록 해 준다.

6 try + 동명사: 시험 삼아 해 보다
A보다는 B를: B rather than A

7 ⑤ 동명사 Carrying ~ shopping bag이 주어이고, 주어로 쓰인 to부정사, 동명사는 단수동사를 쓰므로 3인칭 단수동사 feels를 써야 한다.
brightness: 명도, 밝기 / respectively: 각각
dramatic difference: 극명한 차이

[해석] 명도가 0%인 흑과 100%인 백은 무게를 인식할 때에 극명한 차이를 보여 준다. 사실상 흑은 백보다 2배 무겁게 인식된다. 백색 쇼핑백에 비해 검정색 쇼핑백에 담긴 동일한 제품을 운반할 때 더 무겁게 느낀다.

8 ④ that은 명사 temperature의 반복을 피하기 위해 쓰인 대명사이다. ① 주어절을 이끄는 접속사 ② 보어절을 이끄는 접속사 ③⑤ 목적어절을 이끄는 접속사

[해석] ① 그가 이 이야기를 썼다는 것이 놀랍다.
② 오늘 저녁은 외식을 하자는 것이 나의 제안이다.
③ 현대 예술을 이해하는 척하는 사람이 많다.
④ 이곳의 기온은 런던(의 기온)보다 높다.
⑤ 가치가 있는 것은 무엇이든 우리가 실패하거나 거절당할 위험을 무릅쓸 것을 요구한다.

9 (A) Tens of ~ children이 주어이고 복수이므로 work를 쓴다. (B) workers가 주어이므로 are를 쓴다.
tens of millions of: 수천 만의
sweatshop: 노동력 착취의 현장 / barely: 간신히

[해석] 일부는 아직 아이들인, 개발 도상국의 수천 만 명의 사람들이 흔히 노동착취 공장이라고 이름 붙여진 종류의 공장에서 패션 상품을 만들기 위해 위험한 환경에서 오랜 시간 일한다. 대부분의 의류 노동자들은 간신히 살아남을 만큼 보수를 받는다.

10 This may explain why Americans seem particularly easy to meet에서 알 수 있듯이 This가 그 이유이고 This는 바로 앞 문장을 가리킨다.
discloser: 공개하는 사람, 폭로하는 사람
willingness: 기꺼이 하는 마음

[해석] 미국에서 태어난 사람들은 정보를 잘 공개하려는 경향이 있고, 자기 자신에 관한 정보를 낯선 이에게 기꺼이 공개하려는 의향을 보이기까지 한다. 이것은 왜 미국인들을 만나는 것이 특히 쉬워 보이는지와 그들이 칵테일 파티에서의 대화에 능숙한지를 설명할 수 있다.

6일 누구나 100점 테스트 2회 48~49쪽

1 (1) relaxing (2) scratched
2 anyone → to depend on, anywhere → to go
3 wrapped in red paper and gold ribbon **4** ③
5 producing → produced
6 ② **7** ④ **8** ② **9** ①, ③
10 (A) Assigned (B) fascinating

1 (1) relax의 분사형은 형용사처럼 쓰인다.
relaxing: 편한, 마음을 느긋하게 해 주는
relaxed: 느긋한, 여유 있는
(2) car와 scratch는 수동 관계이므로 과거분사 scratched를 쓴다.

[해석] (1) 스웨덴 마사지는 길고 깊은 스트로크가 있으며 그것은 아주 편안하게 해 준다.
(2) 그는 누군가에 의해 그의 차가 긁혀진 것을 알았고 매우 격노했다.

2 -one, -where, -body, -thing을 수식하는 형용사와 to부정사는 대명사 뒤에 온다. anyone은 on의 목적어이다.

[해석] 부모님이 돌아가시자 그녀는 의지할 사람도, 갈 곳도 없게 되었다.

3 '주격 관계대명사 + be동사'인 which was를 생략하고 gift를 수식하는 말이 '포장된'이라는 수동의 의미이므로 과거분사를 쓴다.

[해석] 그는 빨간 종이와 금색 리본으로 포장된 발렌타인 데이 선물을 열었다.

4 빈칸 뒤의 절이 목적어가 없는 불완전한 절이므로 선행사를 포함하고 있는 관계대명사 what이 와야 한다.

[해석] 관심이 다른 친구들이 갖는 것은 삶을 흥미롭게 한다. – 그저 서로에게서 배울 수 있는 것에 대해 생각해 보라.

5 produced 이하는 noise를 수식하고 '사람들에 의해 만들어진'이라는 수동의 의미이므로 과거분사인 produced를 써야 한다.

[해석] 수년 전, 전자 자원이 도서관 환경의 중요한 부분이기 전에, 우리는 단지 사람들이 만들어 내는 소음만을 다루어야 했다.

6 접속사 that 뒤에는 완전한 형태의 문장이 와야 한다. most people 이하의 보어 명사절을 이끄는 접속사로 ②에 오는 것이 적절하다.

[해석] 현실은 대부분의 사람들은 평생 동안 충분한 교육을 받지 못할 것이라는 점이다.

7 명사를 수식하는 to부정사를 써서 the first person to discover가 되어야 한다.

be capable of: ~할 수 있다

[해석] Charles Henry Turner는 곤충이 이전의 경험을 바탕으로 행동을 바꿀 수 있다는 것을 설명하면서 곤충이 학습할 수 있다는 것을 발견한 첫 번째 사람이었다.

8 ② 5형식 동사인 advise는 목적격보어로 to부정사를 취하므로 eating을 to eat으로 써야 한다.

① agree는 to부정사를 목적어로 취한다.

③ 주어구로 동명사나 to부정사를 써야 하므로 Playing이나 To play를 쓴다.

④ 전치사의 목적어는 동명사를 쓴다.

⑤ to부정사가 desire를 수식한다.

trigger: 촉발시키다 / instinctive: 본능적인

[해석] ① 나의 프로젝트 멤버 모두가 도서관에 가기로 동의했다.

② 의사는 Kevin에게 더 많은 채소를 먹으라고 충고했다.

③ 아버지와 체스 두는 것은 즐겁다.

④ 많은 질병은 과식이나 흡연으로 인해 발생한다.

⑤ 그것은 제공자에게 보답하고자 하는 본능적인 욕구를 유발한다.

9 지각동사 see의 목적격보어이다. Einstein이 표를 찾는 것을 '계속하고 있는' 것이므로 동사원형 continue 또는 능동의 현재분사 continuing이 알맞다.

[해석] 몇 분 후 승무원이 기차 차량의 앞쪽에서 돌아왔고 Einstein이 자신의 자리 밑에서 사라진 표를 계속해서 찾고 있는 것을 보았다.

10 (A) 주절의 주어는 their brains이고, 그들의 뇌가 막대한 임무를 '부여받은' 것이므로 수동 의미인 과거분사가 알맞다.

(B) place가 '매혹적인' 것이므로 능동의 현재분사가 알맞다.

[해석] 이 이론은 시간이 왜 아이들에게 더 느리게 느껴지는지를 부분적으로 설명할 수 있다. 그들 주변의 이 모든 새로운 정보를 흡수하고 처리하는 막대한 임무가 부여되어, 그들의 뇌는 계속적으로 기민하고 주의를 기울이는 상태가 된다. 왜 그럴까? 모든 것이 낯설기 때문이다. 아이의 마음을 잘 생각해 보라. 너무 적게 경험했기 때문에, 세상은 신비롭고 매혹적인 장소이다.

6일 창의·융합·서술·코딩 테스트 1회 50~51쪽

Ⓐ 1형식: There is an important person in my life. / He died ten years ago.

2형식: It's my grandfather. / My grandfather was an umbrella, a supporter, and on my side in everything.

3형식: I feel that he remains in my heart forever.

4형식: My grandfather's death gave me a completely different look at life.

5형식: He always encouraged me to have a positive mind.

Ⓑ **1** It is a mistake to reward all of your child's accomplishments.

2 Sam often hesitates about what to do next.

3 My mom made an apple pie for us.

Ⓒ **1** to receive birthday cards

2 building a small house

3 Everyone was shocked

4 welcoming atmosphere

Ⓐ 수식어구는 1~5형식 문장에 모두 쓸 수 있으며 문장 형식에 영향을 미치지 않는다. My grandfather was an umbrella, a supporter, and on my side in everything.에서 on my side in everything은 보어로 쓰인 전치사구이다.

해석 내 인생에는 중요한 사람이 있다. 할아버지이시다. 할아버지는 모든 일에 있어서 우산이었고, 지지자였고, 내 편이셨다. 그는 항상 나에게 긍정적인 마음을 가지라고 격려해 주셨다. 그는 10년 전에 돌아가셨다. 할아버지의 죽음으로 나는 전혀 다른 인생관을 갖게 되었다. 나는 그분이 내 마음속에 영원히 남아 있다는 것을 느낀다.

B 1 'It ~ to부정사' 구문으로 to부정사구가 주어인데 길어지면 가주어 It을 앞에 사용하고 to부정사를 뒤로 보낸다.
해석 당신 자녀의 모든 성취에 대해 보상하는 것은 실수이다.

2 'what + 주어 + should + 동사원형'의 절은 'what + to부정사'로 바꾸어 쓸 수 있다.
해석 Sam은 다음에 어떻게 해야 할지 몰라 종종 망설인다.

3 '주어 + make + 간접목적어 + 직접목적어'의 4형식 문장을 3형식을 바꿀 때 '주어 + make + 직접목적어 + 전치사 + 간접목적어'의 어순이 된다.
해석 나의 엄마는 나를 위해 사과파이를 만들어 주셨다.

C 1 '~할 것을 기대하다'라는 뜻의 expect는 목적어로 to부정사가 온다.
해석 나는 많은 사람들로부터 생일 카드를 받기를 기대한다.

2 '목표는 ~하는 것이다.'에서 is 다음에 주격보어로 동명사가 올 수 있다.
해석 내 남동생의 목표는 숲 속에 작은 집을 짓는 것이다.

3 사람들이 '충격을 느낀' 것이므로 과거분사 shocked를 쓴다.
해석 Jason이 그냥 일어나서 나가 버렸을 때 모든 사람들이 충격을 받았다.

4 호텔이 '안락한 느낌을 일으키는' 것이므로 현재분사 welcoming으로 atmosphere를 수식한다.
해석 내가 묵었던 호텔은 매우 안락한 분위기였다.

6일 창의·융합·서술·코딩 테스트 2회 52~53쪽

A 1 keeps 2 whether 3 that
B 1 hanging on the door, 푯말이 내걸렸다
  2 filled with doubt, 의심에 가득 찬 눈길로
  3 to trust, 믿을 수 있는 종류의 사람
C 1 I had seen
  2 if(whether) you received my e-mail yesterday
D 1 It is important to apply sunscreen
  2 It is necessary to speak English fluently

A 1 동명사구가 주어이면 단수 취급하므로 keeps를 쓴다.
해석 물을 많이 마시면 피부를 건강하게 유지해 준다.

2 if, whether는 명사절을 이끌어 '~인지 아닌지'라는 의미를 나타낸다. if는 바로 뒤에 or not을 붙여 쓸 수 없으므로 whether를 쓴다.
해석 문제는 이것이 그를 설득할 좋은 방법인가 하는 것이다.

3 뒤에 '주어 + 동사 + 보어'의 완전한 문장이 오므로 접속사 that이 알맞다.
해석 카페인이 흥분제라는 것은 잘 알려진 사실이다.

B 1 hanging 이하의 분사구가 a 'CLOSED' sign을 수식하고 있다.
해석 몇 시간 후에 가게 문에 '영업 종료'라는 푯말이 내걸렸다.

2 과거분사구 filled with doubt가 a look을 수식하고 있다.
해석 그는 의심에 가득 찬 눈길로 나를 쳐다보았다.

3 to부정사가 명사구 the kind of person을 뒤에서 수식한다.
해석 Brian은 믿을 수 있는 종류의 사람이 아니다.

C 1 remember의 목적어 역할을 하는 의문사절로 연결될 때 '의문사 + 주어 + 동사'의 어순으로 쓴다.
해석 나는 그를 전에 어디서 봤는지 기억이 안 났다.

2 의문사가 없는 의문문은 if를 써서 연결한다.
해석 어제 제 이메일을 받으셨는지 궁금합니다.

D 'It ~ to부정사' 구문으로 to부정사구가 문장의 주어이다.
해석 [보기] 기록을 깨는 것이 중요하다.
1. 외출하기 30분 전에 자외선 차단제를 바르는 것이 중요하다.
자외선 차단제를 바르다: apply sunscreen
2. 국제적인 사업을 위해 영어를 유창하게 구사하는 것이 필요하다.

7일 학교 시험 기본 테스트 1회 54~57쪽

1 ③   2 ⑤
3 ⑤ be happier → happier
4 주어: to judge people based on their actions
  해석: 행동을 기반으로 사람들을 판단하는 것은 쉽다.
5 is(was)   6 whether   7 ④, ⑤

8 It is unbelievable that young people aged 6 to 24 influence about 50% of all spending in the U.S.

9 even remembered to bow the head slightly

10 Seeking closeness and meaningful relationships

11 is　**12** ②

13 decided to make their way down

14 ④　**15** ④

16 (A) improves (B) are

17 ③　**18** ⑤

19 choose, happy, miserable

20 (A) crashing (B) to play

---

1 ③의 pass는 4형식 동사로 '동사 + 간접목적어 + 직접목적어'로 쓰거나 3형식 문장인 '동사 + 직접목적어 + to + 간접목적어'로 쓸 수 있다. to를 삭제하거나 to the store clerk를 my credit card 뒤로 보내야 한다.
해석 ① 새들이 강 위를 날고 있다.
② 나는 그가 모퉁이에서 어슬렁거리는 것을 보았다.
③ 나는 점원에게 신용카드를 건네주었다.
④ 엄마는 내게 직업 선택에 관한 책을 사주셨다.
⑤ Sam은 마음잡고 열심히 공부한다.

2 4형식 문장을 3형식 문장으로 바꿀 때 동사에 따라 전치사를 쓴다. get은 for를, give는 to를 쓴다.
해석 • 당신을 위한 개인 용품이 몇 가지 있다.
• 일부 대학들은 그들의 신입생들에게 특별한 선물을 주었다.

3 make는 '동사 + 목적어 + 목적격보어' 형태로 쓰여 형용사를 목적격보어로 쓴 것이므로 be동사가 불필요하다.
해석 이 모든 재화들은 공유되며 공동체 의식은 모든 참여자들을 더 행복하게 만든다.

4 긴 to부정사구가 주어로 오면 보통 가주어 It을 쓰고, 진주어 to부정사구는 문장 뒤로 보낸다.

5 asking someone for something이 동명사구 주어이고, 동명사구 주어는 단수동사로 받으므로 is나 was를 쓴다.
immediate: 즉각적인 / invitation: 초대
social interaction: 사회적 상호작용
해석 Franklin의 의견으로는, 누군가에게 무언가를 요구하는 것은 사회적 상호작용에 대한 가장 유용하고 즉각적인 초대였다.

6 두 문장 다 '~인지 아닌지'의 의미로 쓰였으므로 whether가 알맞다. 첫 문장은 진주어로 쓰인 명사절을 이끌고 두 번째 문장은 주어로 쓰인 명사절을 이끈다.
arguable: 주장할 수 있는, 논쟁의 소지가 있는
case: 사건 / trial: 재판
해석 • 그 사건이 과연 재판까지 갔어야 했느냐는 논란의 소지가 있다.
• 그가 곧 여기로 올지는 확실치 않다.

7 begin은 동명사와 to부정사 모두를 목적어로 쓸 수 있고 의미상의 차이가 없다.
해석 성장의 시작은 당신이 당신의 선택에 대한 책임을 받아들이기 시작할 때 온다.

8 It is unbelievable that ~ 구문을 활용하여 쓸 수 있다. It은 가주어, that young people ~ in the U.S.는 진주어이다.
해석 [보기] 당신이 내게 맛있는 음식을 대접해 주다니 믿을 수가 없다.
→ 6세에서 24세 사이의 젊은 사람들이 미국에서 전체 지출의 약 50%에 영향을 미친다는 것은 믿을 수 없다.

9 문맥상 '인사했던 것'을 기억한 것이 아니라 '인사하는 것'을 기억했다는 의미이므로 remember의 목적어로 to bow가 알맞다.
해석 Fred가 자기를 초대한 독일인들을 처음 만났을 때, 그는 굳게 악수를 했고, 모두에게 독일어로 인사를 했으며, 독일의 풍습대로 고개를 약간 숙여 인사하는 것까지도 기억했다.

10 동명사 seeking이 주어이며, closeness and meaningful relationships는 seeking의 목적어이다. 동명사구 주어는 단수 취급하므로 has가 적절하다.
해석 친밀함과 의미 있는 관계를 추구하는 것은 인간의 생존을 위해 필수적인 것이었다.

11 To become a player in the United States가 주어이므로 단수동사 is를 써야 한다.
ultimate goal: 궁극적인 목표
해석 미국에서 선수 생활을 하는 것이 그의 궁극적인 목표이다.

12 앞의 빈칸은 선행사가 없으므로 선행사를 포함한 관계대명사 What이 적절하고, 뒤의 빈칸은 진주어로 쓰인 명사절을 이끄는 접속사 that이 적절하다.
해석 • 네가 오늘 했던 것은 용감했고, 우리는 모두 네가 자랑스럽다.
• 네 주변의 사람을 공정하고 편견 없이 대하는 것이 필요하다.

13 decide는 to부정사를 목적어로 취하므로 decided to make를 쓴다.

~로 나아가다: make one's way down

14 ④의 what 뒤에 '주어 + 동사 + 보어'의 완전한 문장이 오므로 what이 아니라 목적어 역할을 하는 명사절을 이끄는 접속사 that이 알맞다.

[해석] 당신의 상상 속의 그림보다 원본을 베끼려고 애쓴다면, 당신은 이제 당신의 그림이 약간 더 나아진 것을 발견할지도 모른다. 게다가 그 그림을 여러 번 베낀다면, 매번 당신 그림이 좀 더 나아지고 좀 더 정확해지는 것을 알게 될 것이다.

15 (A) your mind sees가 목적어가 없는 불완전한 문장이므로 관계대명사 what을 써야 한다.

(B) look + 형용사: ~처럼 보이다

equally: 동등하게, 똑같이 / complex: 복잡한

unless: ~하지 않는 한 / unusually: 대단히, 특별히

completely: 완전히

[해석] 당신이 좋아하는 회화, 소묘, 만화의 등장인물들이나 똑같이 복잡한 어떤 것 중 하나를 마음속으로 상상하라. 이제 그 그림을 마음속에 두고 당신의 마음이 보는 것을 그려 보라. 당신이 특별하게 재능이 있는 것이 아니라면, 당신이 그린 그림은 당신이 마음의 눈으로 보고 있는 것과 완전히 다르게 보일 것이다.

16 (A) 주어는 Clothing이고 that is ~ the season은 Clothing을 수식하는 관계대명사절이다. 따라서 단수동사 improves가 적절하다.

(B) 주어는 clothes이고 that have ~ capacity는 주어를 수식하는 관계대명사절이다. 주어가 복수이므로 동사는 are가 와야 한다.

clothing: 의류 / appropriate: 적절한 / environment: 환경

wicking capacity: 수분을 흡수하거나 배출할 수 있는 기능성 / dissipate: 배출하다, 낭비하다

[해석] 운동과 계절에 적절한 의류는 운동 경험을 향상시킨다. 따뜻한 환경에서는 수분을 흡수하거나 배출할 수 있는 기능을 가진 옷이 몸에서 열을 발산하는 데 도움이 된다.

17 밑줄친 부분은 '가는 것을 꺼리지 않다'의 뜻으로 쓰였고, ③ be unwilling to는 '~을 꺼리다'라는 뜻이다. mind, avoid는 동명사를 목적어로 취하므로 유의한다.

[해석] 그들은 자신들의 상사를 위해 몇 마일을 더 가는 것을 전혀 개의치 않는 직원들을 가지고 있다.

18 '주격 관계대명사 + be동사'를 생략하고 분사로 명사를 수식할 수 있다. 상징의 풍부한 원천이 '사용되는' 것이므로 수동의 과거분사 used가 알맞다.

[해석] 자연계는 미술과 문학에서 사용되는 상징의 풍부한 원천을 제공한다.

19 마지막 문장의 결론을 whether ~ or ...를 활용하여 요지를 쓸 수 있다. whether ~ or ...는 동사의 목적절로 쓰인 접속사이다.

[해석] 당신은 당신의 삶을 어떻게 만들어 가고 싶은지 자유롭게 선택할 수 있다. 그것은 자유 의지라고 불리고, 그것은 여러분의 기본적인 권리이다. 게다가, 여러분은 그것을 즉시 실행할 수 있다! 언제든, 여러분은 자신을 더 존중하기 시작하거나 혹은 여러분을 낙담시키는 친구들과 어울리는 것을 멈추는 것을 선택할 수 있다. 결국, 여러분은 행복해지는 것을 선택하거나, 비참해지는 것을 선택한다.

20 (A) avoid는 동명사를 목적어로 취하므로 crashing이 알맞다.

(B) assigned의 목적격보어로 to부정사가 알맞다.

subject: 피험자, 연구 대상

warning: 경고

randomly: 무작위로

assigned: 할당된

participant: 참가자

same-age peers: 같은 나이 또래들

[해석] 피실험자들은 게임 참가자가 경고 없이 도로에 나타나는 벽에 충돌하는 것을 피해야 하는 컴퓨터 운전 게임을 했다. Steinberg와 Gardner는 무작위로 몇몇 참가자들이 혼자 게임을 하거나 두 명의 같은 나이 또래가 지켜보는 가운데 게임을 하게 했다.

7일 학교 시험 기본 테스트 2회   58~61쪽

1 I have no one to help me.

2 (1) were never to see (2) something very important

3 that

4 ⑤   **5** ①

6 dealing with an irresponsible kid

7 charged   **8** ④

9 what is coming next

10 (1) named (2) involving   **11** ②

1 '~할, ~하는'이라는 뜻의 to부정사를 써서 to help me가 no one을 수식하도록 연결한다.

[해석] 나를 도와 줄 어떤 사람도 없다.

2 (1) 'be + to부정사'는 예정, 운명, 의무, 가능, 의지의 의미를 나타낸다. 여기에서는 운명의 뜻으로 were never to see 가 알맞다.

(2) '-thing(+형용사) + to부정사' 구문으로 something 다음에 형용사와 to부정사가 온다.

[해석] (1) 그들은 다시는 가족을 보지 못할 운명이었다.

(2) 당신과 의논할 아주 중요한 일이 있답니다.

3 뒤에 완전한 형태의 문장이 오므로 revealed의 목적어 역할을 하는 절을 이끄는 접속사 that이 적절하다. that절이 이끄는 문장의 주어는 those who ~ future(바라던 미래에 대한 공상에 몰두했던 사람들)이고 동사는 did이다.

engage in: ~에 몰두하다

fantasize: 공상하다, 환상을 갖다

[해석] 그 결과는 바라던 미래에 대한 공상에 몰두했던 사람들은 세 가지 조건 모두에서 더 성과가 좋지 않았다는 것이 드러났다.

4 ⑤ 목적어 역할을 하는 간접의문문으로 '의문사 + 주어 + 동사' 어순이 되어야 하므로 what time the movie starts로 써야 한다.

[해석] ① 나는 답이 맞는지 궁금하다.

② 너는 그 사람이 어디 출신인지 아니?

③ 퍼즐을 어떻게 풀 수 있는지 나에게 알려 주세요.

④ 나는 그가 왜 그곳에 가고 싶어 하는지 모르겠다.

⑤ 몇 시에 영화가 시작하는지 알 수 있을까요?

5 make는 사역동사이므로 목적격보어로 동사원형 quit을 쓴다.

[해석] ① 할머니께서는 내가 패스트푸드를 끊게 하셨다.

② 할머니께서는 나에게 패스트푸드를 끊도록 충고하셨다.

③ 할머니께서는 내가 패스트푸드를 먹지 말기를 원하셨다.

④ 할머니께서는 나에게 패스트푸드를 먹지 말라고 말씀하셨다.

⑤ 할머니께서는 나에게 패스트푸드를 그만 먹으라고 충고하셨다.

6 '~을 다루는 책임감 있는 사람'에서 a responsible man과 deal은 능동 관계이므로 현재분사 dealing을 써서 수식한다.

무책임한: irresponsible(↔ responsible 책임감 있는)

~을 다루다: deal with

7 'become + 형용사'에서 형용사는 주격보어이고, 문맥상 구름이 '충전되는' 것이므로 수동의 과거분사 charged가 형용사로 쓰인 것이다.

8 require 다음에 완전한 형태의 문장(players observe the rules)이 오므로 목적어 역할을 하는 명사절을 이끄는 접속사 that이 오는 것이 적절하다.

[해석] 축구나 야구 같은 게임들은 선수들이 공정한 경기가 확보될 수 있도록 규칙들을 준수할 것을 요구하고 있다.

9 know의 목적절로 의문사가 접속사 역할을 하고 있다. 목적절로 쓰인 경우에는 '의문사 + 주어 + 동사'의 어순으로 써야 한다.

repetition: 반복(a. repetitive 반복적인)

a sense of security: 안정감

predictability: 예측 가능성

arrange: 정리하다

largely: 대체로

[해석] 어느 정도의 반복은 우리가 다음에 무엇이 올지 안다는 점에서 우리에게 안정감을 준다. 우리는 어느 정도의 예측 가능성을 좋아한다. 우리는 대체로 반복되는 일정으로 우리의 삶을 배열한다.

10 (1) 수식을 받는 a young man은 '이름이 붙여진' 것이므로 수동 의미의 과거분사 named가 알맞다.

(2) 수식을 받는 a very old story가 남자를 '관련시키는' 것이므로 능동의 현재분사 involving이 알맞다.

[해석] (1) 19세기 초 런던에서, Charles Dickens라는 이름의 한 젊은이는 작가가 되고자 하는 강한 열망을 가지고 있었다.

(2) 고장 난 보일러를 고치려 노력하는 한 남자와 관련한 매우 오래된 이야기가 있다.

11 ② whether와 달리 if는 바로 뒤에 or not을 붙일 수 없으므로 if 대신 whether를 쓴다.

[해석] ① 가야 할지 말지 결심이 서지 않는다.

② 나는 그 여자가 결혼했는지 안했는지 모른다.

③ 나는 그 보고가 사실인지 아닌지 모른다.
④ 그녀가 그 비밀을 알고 있었는지 어떤지는 여전히 의문이다.
⑤ 문제는 당장 우리가 구급차를 불러야 하는지 어떤지였다.

12 '기분 좋게 만드는 논평'의 뜻으로 ③은 능동 의미의 현재분사를 쓰는 것이 적절하다.

[해석] 속이는 말이지만 기분 좋게 만드는 논평과 같은 사회적 거짓말이 상호 관계에 도움이 될 수 있다.

13 '기술이 어떻게 사용될 수 있는지를'은 showed의 목적절로 how 의문사절(how + 주어 + 동사)을 쓴다. 의문사절의 주어는 technology이고 '사용될 수 있다'는 수동태를 써서 could be used를 쓴다.

[해석] 이 가수들은 사람들을 화합하게 하기 위해 기술이 어떻게 사용될 수 있는지를 다시금 보여 주었다.

14 (1) 사역동사 let은 목적격보어로 동사원형을 쓴다.
(2) make의 목적격보어로 부사는 쓸 수 없고 형용사를 쓴다.

[해석] (1) 그녀는 아이들이 초콜릿을 먹지 못하게 했다.
(2) 이 전기 기술은 우리의 삶을 더욱 편리하게 해 주는 많은 이점들이 있다.

15 문맥상 '노인의 자전거를 수리했던 것을 후회했다'라는 의미이므로 동명사를 써서 fixing up이 알맞다.

[해석] 만약 그 노인이 돈을 가지고 돌아오지 않으면 어쩌지? 그는 그 노인의 자전거를 수리했던 것을 후회했다.

16 dance는 imagine의 목적어인 ourselves를 설명하는 목적격보어이다. 목적어 ourselves가 '춤을 추고 있는' 것이므로 능동 의미의 현재분사가 알맞다.
victoriously: 의기양양하게
ultimately: 궁극적으로

[해석] 이 단계에서, 성공적이고 궁극적으로 행복하다고 느끼며, 우리는 그 산의 꼭대기에서 의기양양하게 춤을 추고 있는 우리 자신을 상상하기까지 한다.

17 help는 준사역동사로서 목적격보어로 동사원형이나 to부정사를 모두 취할 수 있다.

[해석] 화가 Pablo Picasso는 우리가 세상을 다르게 보도록 돕는 방법으로 큐비즘을 이용했다.

18 불행할 때에는 강제 미소를 지어야 행복 연결망과 연결될 수 있으므로 ⑤는 일치하지 않는다.

[해석] 당신을 미소 짓게 하는 모든 사건들은 당신을 행복하게 느끼도록 만들고 당신의 뇌 안에서 기분을 좋게 하는 화학물질을 생성한다. 당신이 스트레스를 받았거나 불행함을 느낄 때조차도 당신의 얼굴이 미소 짓도록 강제하라. 미소에 의해 만들어진 얼굴 근육의 패턴은 당신의 뇌 안에 있는 '행복 연결망'과 연결되어 있고, 결과적으로 당신을 진정시키며 기분을 좋게 하는 동일한 화학물질을 내보냄으로써 당신의 뇌의 화학 작용을 변화시킨다.

19 동명사 주어는 단수 취급하므로 첫 번째 빈칸에는 단수동사 conceals를 쓴다. 두 번째 빈칸에는 imagine의 목적어로 동명사를 쓰므로 studying이 알맞다.
plateau: 고원 / perspective: 관점

[해석] 사회들 사이의 차이점에 집중하는 것은 더 깊은 실체를 숨긴다. 만 피트 높이의 고원에 서서 두 개의 언덕을 유심히 본다고 상상해 보라. 여러분의 관점에서 보면, 한 언덕이 300피트 높이인 것처럼 보이고 다른 언덕이 900피트 높이인 것처럼 보인다.

20 일하는 것과 전구를 사용하는 것을 시험 삼아 해 보는 것이므로 동명사 두 개가 try에 병렬로 연결됨에 유의해서 영작한다.
시험 삼아 ~해 보다: try + 동명사
모든 파장이 있는 전구: full spectrum bulbs

Picture Puzzle   46쪽

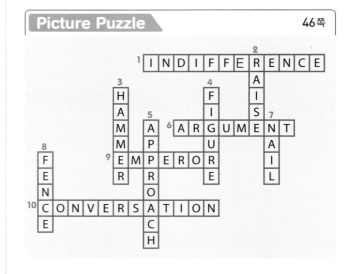

어휘 모아 보기

어휘 모아 보기 활용 안내

◈ 7일간 학습한 **일별 어휘** 한꺼번에 확인하기!

◈ **어휘 테스트**를 통해 **한 번 더** 체크하기!

1일

- [ ] **absurd** 터무니없는, 우스꽝스런
- [ ] **approach** 다가오다
- [ ] **deskmate** 짝꿍
- [ ] **embarrassment** 당황
- [ ] **experiment** 실험
- [ ] **fence** 울타리
- [ ] **give ~ a treat** ~에게 간식을 주다
- [ ] **hammer** 망치
- [ ] **headline** (신문의) 헤드라인, 머리글
- [ ] **hug tightly** 꽉 껴안다
- [ ] **idiot** 바보, 멍청이
- [ ] **pack one's suitcase** 여행 가방을 싸다
- [ ] **participant** 참가자
- [ ] **provide A with B** A에게 B를 제공하다

- [ ] **raise** 기르다
- [ ] **reality** 현실
- [ ] **remain** ~인 채로 있다
- [ ] **remain silent** 침묵을 지키다
- [ ] **researcher** 연구자
- [ ] **rob A of B** A에게서 B를 빼앗다
- [ ] **scary** 무서운
- [ ] **send off** 전송하다
- [ ] **significant** 중요한
- [ ] **southwest** 남서부의
- [ ] **spelling bee hero** 단어 철자 맞히기 대회 영웅
- [ ] **tough** 단단한

2일

- [ ] **affect** 영향을 주다
- [ ] **argument** 논쟁

- [ ] **assimilate** 동화시키다
- [ ] **bothersome** 성가신 일
- [ ] **capacity** 수용력, 능력
- [ ] **circumstance** 사정
- [ ] **complex** 복잡한
- [ ] **continent** 대륙
- [ ] **control** 통제
- [ ] **disappearance** 실종
- [ ] **dissipate** 소멸하다
- [ ] **eating habit** 식습관
- [ ] **established** 확립된
- [ ] **experience** 경험
- [ ] **horror** 공포
- [ ] **impression** 인상
- [ ] **keep -ing** 계속해서 ~하다
- [ ] **matter** 상관하다
- [ ] **nonsense** 헛소리, 터무니없는 말
- [ ] **realize** 깨닫다

☐ rumor 소문내다

☐ screen 상영하다

☐ unbelievable 믿을 수 없는

☐ understanding 이해

☐ unfairly 불공평하게

☐ violate 위반하다

3일

☐ avoid 피하다

☐ bicycle part 자전거 부품

☐ borrow 빌리다

☐ break out 발발하다, 발생하다

☐ conversation 대화

☐ cooperate 협력하다

☐ determine 결정하다

☐ emperor 황제

☐ expect 기대하다

☐ experimenter 실험자

☐ explain 설명하다

☐ factor 요인

☐ give away 선뜻 내주다, 거저 주다

☐ incident 사건

☐ inconvenience 불편

☐ international 국제적인

☐ lend 빌리다

☐ mention 언급하다

☐ mind 꺼리다

☐ minimum 최소, 최저

☐ normalize 정상화하다

☐ politician 정치인

☐ relation 관계

☐ retrieve 되찾아오다

☐ suddenly 갑자기

☐ take a risk 위험을 감수하다

4일

☐ audience 관중, 청중

☐ competence 역량, 능력

☐ correlate 연관성이 있다

☐ educator 교육자

☐ ensure 보장하다

☐ figure 수치, 숫자

☐ freeze 얼다, 얼리다

☐ generator 발전기

☐ hard hat 안전모

☐ idle 게으른

☐ indifference 무관심

☐ install 설치하다

☐ instructions 설명서

☐ legal 법률의

☐ midpoint 중간 지점

☐ mixed-signal 혼합된 신호

☐ neutral 중립적인

☐ park 주차하다

☐ relevant 관련이 있는

☐ remind 상기시키다

☐ secretary 비서

☐ sexuality 성 정체성

☐ shaking 흔들리고 있는

☐ suggestion 제안

☐ turkey 칠면조

☐ virtue 미덕

5일

☐ access 접근하다

☐ accomplished 뛰어난

☐ adapt 적응하다

☐ assistant 보조의

☐ blame 비난하다

☐ bring back 되살리다

☐ defeat 패배시키다

☐ exceptionally 보기 드물게

☐ generation 세대

☐ glacier 빙하

☐ initial 최초의, 처음의

☐ intelligence 지성

☐ investment 투자

☐ label 라벨, 상표

☐ notice 알아채다

☐ opportunity 기회

☐ opposite 반대의

☐ option 선택 사항

☐ rebel against ~에 반항하다

☐ require 필요로 하다

☐ rereading 다시 읽기

☐ rival 경쟁자

☐ scenery 장면

☐ sculpture 조각품

☐ step 밟다

☐ ultimate 최후의, 최고의

6일

☐ assign 할당하다

☐ atmosphere 분위기

☐ camel 낙타

☐ climate 기후

☐ crisis 위기

☐ decay 쇠퇴

☐ dramatic 극명한, 드라마틱한

☐ equipment 장비

☐ furious 격노한

☐ garment 의류

☐ humanitarian 인도주의적인

☐ illustrate 분명히 보여주다

☐ insect 곤충, 벌레

☐ machine 기계

- [ ] **perceive** 인식하다
- [ ] **previous** 이전의
- [ ] **reject** 거절하다
- [ ] **relax** 긴장이 풀리다, 느긋해지다
- [ ] **situation** 상황
- [ ] **survive** 생존하다, 살아남다
- [ ] **temperature** 온도, 체온
- [ ] **trigger** 유발하다
- [ ] **vow** 맹세하다
- [ ] **widespread** 광범위한
- [ ] **willingness** 기꺼이 하는 마음
- [ ] **wrap** 포장하다, 싸다

7일

- [ ] **accurate** 정확한
- [ ] **appropriate** 적절한
- [ ] **arguable** 논란의 여지가 있는
- [ ] **arrange** 정리하다
- [ ] **bias** 편견
- [ ] **bow** 인사하다
- [ ] **bring together** 화합하다
- [ ] **career** 직업, 경력
- [ ] **electrical** 전기의
- [ ] **engage in** ~에 몰두하다
- [ ] **equally** 동등하게, 똑같이
- [ ] **flattered** 기분 좋게 만드는

- [ ] **immediate** 즉각적인
- [ ] **interaction** 상호작용
- [ ] **involve** 관련시키다
- [ ] **loiter** 어슬렁거리다
- [ ] **perspective** 관점
- [ ] **repetition** 반복
- [ ] **respondent** 응답자
- [ ] **responsibility** 책임감
- [ ] **security** 안정감
- [ ] **spirit** 정신
- [ ] **survival** 생존
- [ ] **ultimate** 궁극적인
- [ ] **unusually** 대단히, 특별히
- [ ] **victoriously** 의기양양하게

1일 영어는 우리말로, 우리말은 영어로 쓰세요.

01 give ~ a treat   21 중요한

02 provide A with B   22 전송하다

03 rob A of B   23 울타리

04 absurd   24 연구자

05 raise   25 실험

06 hug tightly   26 바보, 멍청이

07 approach   27 (신문의) 헤드라인, 머리글

08 tough   28 망치

09 spelling bee hero   29 당황

10 embarrassment   30 단단한

11 hammer   31 다가오다

12 scary   32 남서부의

13 idiot   33 꽉 껴안다

14 pack one's suitcase   34 기르다

15 send off   35 터무니없는, 우스꽝스런

16 significant   36 A에게서 B를 빼앗다

17 deskmate   37 A에게 B를 제공하다

18 participant   38 ～한 채로 있다

19 remain silent   39 현실

20 reality   40 참가자

2일 영어는 우리말로, 우리말은 영어로 쓰세요.

01	keep -ing	21	위반하다
02	realize	22	상관하다
03	assimilate	23	영향을 주다
04	unbelievable	24	실종
05	complex	25	소문내다
06	unfairly	26	식습관
07	circumstance	27	대륙
08	matter	28	사정
09	screen	29	수용력, 능력
10	bothersome	30	확립된
11	rumor	31	경험
12	capacity	32	복잡한
13	eating habit	33	인상
14	disappearance	34	성가신 일
15	affect	35	헛소리, 터무니없는 말
16	violate	36	동화되다
17	impression	37	논쟁
18	control	38	상영하다
19	nonsense	39	불공평하게
20	established	40	소멸하다

3일 영어는 우리말로, 우리말은 영어로 쓰세요.

01	international	21	관계
02	mind	22	빌리다
03	retrieve	23	언급하다
04	break out	24	실험자
05	inconvenience	25	국제적인
06	borrow	26	결정하다
07	incident	27	황제
08	explain	28	협력하다
09	screen	29	대화
10	experimenter	30	요인
11	mention	31	피하다
12	factor	32	불편
13	take a risk	33	기대하다
14	bicycle part	34	설명하다
15	normalize	35	꺼리다
16	politician	36	최소, 최저
17	minimum	37	정상화하다
18	avoid	38	사건
19	cooperate	39	되찾아오다
20	emperor	40	갑자기

4일 영어는 우리말로, 우리말은 영어로 쓰세요.

01	relevant		21	얼다, 얼리다	
02	audience		22	역량, 능력	
03	indifference		23	흔들리고 있는	
04	virtue		24	교육자	
05	generator		25	보장하다	
06	legal		26	수치, 숫자	
07	ensure		27	연관성이 있다	
08	remind		28	발전기	
09	instructions		29	무관심	
10	sexuality		30	설명서	
11	figure		31	설치하다	
12	hard hat		32	혼합된 신호	
13	freeze		33	중립적인	
14	competence		34	주차하다	
15	correlate		35	관련이 있는	
16	park		36	비서	
17	midpoint		37	법률의	
18	neutral		38	제안	
19	mixed-signal		39	칠면조	
20	shaking		40	미덕	

5일 영어는 우리말로, 우리말은 영어로 쓰세요.

01	rebel against	21	접근하다
02	exceptionally	22	최초의, 처음의
03	rereading	23	세대
04	bring back	24	필요로 하다
05	assistant	25	알아채다
06	glacier	26	보기 드물게
07	option	27	뛰어난
08	generation	28	비난하다
09	notice	29	보조의
10	label	30	지성
11	scenery	31	적응하다
12	accomplished	32	반대의
13	adapt	33	선택 사항
14	access	34	～에 반항하다
15	sculpture	35	기회
16	intelligence	36	경쟁자
17	initial	37	장면
18	ultimate	38	조각품
19	investment	39	라벨, 상표
20	defeat	40	최후의, 최고의

6일 영어는 우리말로, 우리말은 영어로 쓰세요.

01	reject	21	장비
02	insect	22	인식하다
03	widespread	23	인도주의적인
04	dramatic	24	이전의
05	willingness	25	의류
06	climate	26	유발하다
07	camel	27	위기
08	vow	28	온도, 체온
09	illustrate	29	쇠퇴
10	atmosphere	30	상황
11	survive	31	분위기
12	decay	32	맹세하다
13	temperature	33	긴장이 풀리다, 느긋해지다
14	trigger	34	기꺼이 하는 마음
15	garment	35	기계
16	previous	36	광범위한
17	humanitarian	37	격노한
18	perceive	38	거절하다
19	equipment	39	할당하다
20	assign	40	포장하다, 싸다

7일 영어는 우리말로, 우리말은 영어로 쓰세요.

01	engage in		21	궁극적인
02	involve		22	직업, 경력
03	perspective		23	정리하다
04	ultimate		24	편견
05	flattered		25	논란의 여지가 있는
06	arguable		26	전기의
07	unusually		27	~에 몰두하다
08	equally		28	기분 좋게 만드는
09	interaction		29	즉각적인
10	survival		30	상호작용
11	loiter		31	적절한
12	respondent		32	어슬렁거리다
13	victoriously		33	관점
14	bow		34	반복
15	appropriate		35	응답자
16	arrange		36	책임감
17	accurate		37	안정감
18	career		38	정신
19	bias		39	관련시키다
20	bring together		40	의기양양하게

1일

01 ~에게 간식을 주다　02 A에게 B를 제공하다　03 A에게서 B를 빼앗다　04 터무니없는, 우스꽝스런　05 기르다
06 꽉 껴안다　07 다가오다　08 단단한　09 단어 철자 맞히기 대회 영웅　10 당황　11 망치　12 무서운
13 바보, 멍청이　14 여행가방을 싸다　15 전송하다
16 중요한　17 짝꿍　18 참가자　19 침묵을 지키다
20 현실　21 significant　22 send off　23 fence
24 researcher　25 experiment　26 idiot
27 headline　28 hammer　29 embarrassment
30 tough　31 approach　32 southwest
33 hug tightly　34 raise　35 absurd
36 rob A of B　37 provide A with B　38 remain
39 reality　40 participant

2일

01 계속해서 ~하다　02 깨닫다　03 동화시키다
04 믿을 수 없는　05 복잡한　06 불공평하게　07 사정
08 상관하다　09 상영하다　10 성가신 일　11 소문나다　12 수용력, 능력　13 식습관　14 실종　15 영향을 주다　16 위반하다　17 인상　18 통제　19 헛소리, 터무니없는 말　20 확립된　21 violate
22 matter　23 affect　24 disappearance
25 rumor　26 eating habit　27 continent
28 circumstance　29 capacity　30 established
31 experience　32 complex　33 impression
34 bothersome　35 nonsense　36 assimilate
37 argument　38 screen　39 unfairly
40 dissipate

3일

01 국제적인　02 꺼리다　03 되찾아오다　04 발발하다, 발생하다　05 불편　06 빌리다　07 사건　08 선뜻 내주다, 거저 주다　09 설명하다　10 실험자　11 언급하다　12 요인　13 위험을 감수하다　14 자전거 부품
15 정상화하다　16 정치인　17 최소, 최저　18 피하다
19 협력하다　20 황제　21 relation　22 borrow
23 mention　24 experimenter　25 international
26 determine　27 emperor　28 cooperate
29 conversation　30 factor　31 avoid
32 inconvenience　33 expect　34 explain
35 mind　36 minimum　37 normalize
38 incident　39 retrieve　40 suddenly

4일

01 관련이 있는　02 관중, 청중　03 무관심　04 미덕
05 발전기　06 법률의　07 보장하다　08 상기시키다
09 설명서　10 성 정체성　11 수치, 숫자　12 안전모
13 얼다, 얼리다　14 역량, 능력　15 연관성이 있다
16 주차하다　17 중간 지점　18 중립적인　19 혼합된 신호　20 흔들리고 있는　21 freeze
22 competence　23 shaking　24 educator
25 ensure　26 figure　27 correlate
28 generator　29 indifference　30 instructions
31 install　32 mixed-signal　33 neutral
34 park　35 relevant　36 secretary　37 legal
38 suggestion　39 turkey　40 virtue

5일

01 ~에 반항하다   02 보기 드물게   03 다시 읽기
04 되살리다   05 보조의   06 빙하   07 선택 사항
08 세대   09 알아채다   10 라벨, 상표   11 장면
12 뛰어난   13 적응하다   14 접근하다   15 조각품
16 지성   17 최초의, 처음의   18 최후의, 최고의
19 투자   20 패배시키다   21 access   22 initial
23 generation   24 require   25 notice
26 exceptionally   27 accomplished   28 blame
29 assistant   30 intelligence   31 adapt
32 opposite   33 option   34 rebel against
35 opportunity   36 rival   37 scenery
38 sculpture   39 label   40 ultimate

6일

01 거절하다   02 곤충, 벌레   03 광범위한   04 극명한,
드라마틱한   05 기꺼이 하는 마음   06 기후   07 낙타
08 맹세하다   09 분명히 보여주다   10 분위기   11 생
존하다, 살아남다   12 쇠퇴   13 온도, 체온   14 유발하
다   15 의류   16 이전의   17 인도주의적인   18 인식
하다19 장비   20 할당하다   21 equipment
22 perceive   23 humanitarian   24 previous
25 garment   26 trigger   27 crisis
28 temperature   29 decay   30 situation
31 atmosphere   32 vow   33 relax
34 willingness   35 machine   36 widespread
37 furious   38 reject   39 assign   40 wrap

7일

01 ~에 몰두하다   02 관련시키다   03 관점   04 궁극
적인   05 기분 좋게 만드는   06 논란의 여지가 있는
07 대단히, 특별히   08 동등하게, 똑같이   09 상호작용
10 생존   11 어슬렁거리다   12 응답자   13 의기양양하
게   14 인사하다   15 적절한   16 정리하다   17 정확
한   18 직업, 경력   19 편견   20 화합하다
21 ultimate   22 career   23 arrange   24 bias
25 arguable   26 electrical   27 engage in
28 flattered   29 immediate   30 interaction
31 appropriate   32 loiter   33 perspective
34 repetition   35 respondent   36 responsibility
37 security   38 spirit   39 involve
40 victoriously

핵심정리 01 1, 2, 3형식

- 1형식: 주어(S) + 동사(V)
  - 'There is / are 주어(+수식어구)' 구문은 '~이 있다.'라는 뜻의 1형식 문장이다.

- 2형식: 주어(S) + 동사(V) + 주격보어(SC)
  - 보어는 **❶ [   ]** 를 보충 설명하고 형용사나 명사를 쓴다.

- 3형식: 주어(S) + 동사(V) + 목적어(O)
  - 둘 이상의 단어로 이루어진 동사구 뒤에 **❷ [   ]** 가 오기도 한다.

답 ❶ 주어 ❷ 목적어

핵심정리 02 4형식

- 4형식: S + V + IO(사람) + DO(사물)

- 4형식 동사: give, make, tell, bring, show, send, teach, lend, ask

- 4형식 문장을 3형식 문장으로 바꾸기

S + V + IO(**❶ [   ]**) + DO(사물)

→ S + V + **❷ [   ]** + 전치사 + IO(사람)

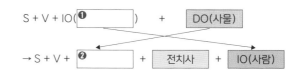

4형식을 3형식으로 바꿀 때는 간접목적어였던 사람을 뒤로 보내고 그 앞에 의미에 따라 for, to, of 등의 전치사를 넣어요!

답 ❶ 사람 ❷ DO(사물)

핵심정리 03 5형식

- 5형식: S + V + O(목적어) + OC(목적격보어)

- 5형식 동사
  - **❶ [   ]** 동사: see, watch, hear, feel, listen to 등
  - **❷ [   ]** 동사: have, let, make 등

- 동사에 따라 목적격보어로 동사원형, to부정사, 현재분사, 과거분사가 온다.

주격보어가 주어를 보충 설명하듯이 목적격보어는 목적어를 보충 설명해요.

답 ❶ 지각 ❷ 사역

핵심정리 04 주어 찾기

- **❶ [   ]** 로 쓰이는 말
  - 명사(구), 대명사, 동명사(구), to부정사(구)
  - 접속사: that절, whether절과 의문사절
  - 관계대명사: what절

- 문장이 항상 '주어 + 동사'로 시작하지 않는다. 문장 앞에 부사구가 와서 '부사구 + 동사 + 주어' 어순으로 도치되기도 하고, 주절이 부사절 뒤에 오기도 한다.

동명사구, to부정사구, 명사절이 주어로 올 때 동사는 **❷ [   ]** 를 써요!

답 ❶ 주어 ❷ 단수동사

자르는 선 ✂

○ 다음 두 문장의 뜻이 같도록 빈칸에 알맞은 말을 쓰시오.

1 He will cook me pasta.

➡ He will cook pasta [   ] me.

2 I sent my parents the thank-you letter.

➡ I sent the thank-you letter [   ] my parents.

답 1 for 2 to

○ 다음 문장의 형식을 쓰시오.

1 There are a lot of people back there waiting to get in. [   ]

2 The man from the car behind approached us. [   ]

3 It was the eye of a big dolphin. [   ]

답 1 1형식 2 3형식 3 2형식

○ 다음 문장의 네모에서 알맞은 말을 고르시오.

1 [Eating / Eat] a good breakfast is very nice.

2 Whether we need it or not [is / are] a different story.

3 To dream [is / are] an experience common to all people.

답 1 Eating 2 is 3 is

○ 다음 우리말과 같도록 문장의 빈칸에 알맞은 말을 쓰시오.

1 내 친구들은 미나를 말괄량이라고 부른다.

➡ My friends [   ] Mina a tomboy.

2 당신의 마음은 당신의 마지막 생각을 현실의 일부로 만든다.

➡ Your mind [   ] your last thoughts part of reality.

답 1 call 2 makes

핵심정리 05 가주어 It

- 명사구나 명사절 주어가 길어지면 It을 주어 자리에 두고 긴 주어를 **❶** 로 보낸다.
- It은 가주어이고 뒤에 오는 to부정사구, 동명사구, that절, whether절, what절 등이 **❷** 이다.

> Tip
> - It ~ to부정사구
> - It ~ 동명사구
> - It ~ that절
> - It ~ whether절
> - It ~ what절

답 ❶ 뒤 ❷ 진주어

핵심정리 06 목적어: 동명사, to부정사

- **❶** 를 목적어로 취하는 동사: avoid, enjoy, finish, give up, keep, mind, quit, stop 등
- **❷** 를 목적어로 취하는 동사: agree, decide, expect, hope, promise, refuse, want, need
- 둘 다 목적어로 취하는 동사: start, begin, like, hate, attempt, continue
- 전치사의 목적어는 동명사를 쓴다.

> Tip
> 목적어로 '의문사 + to부정사'를 쓸 수 있어요!
> what to do: 무엇을 해야 할지를
> how to do: 어떻게 해야 할지를
> when to do: 언제 해야 할지를
> where to go: 어디로 가야 할지를

답 ❶ 동명사 ❷ to부정사

핵심정리 07 forget + 동명사 / to부정사

- 목적어가 동명사인지 to부정사인지에 따라 의미가 달라진다.

forget + 동명사	(과거에) ~ ❶ 잊다
forget + to부정사	(미래에) ~할 것을 잊다
remember + 동명사	(과거에) ~했던 것을 기억하다
remember + to부정사	(미래에) ~할 것을 기억하다
try + 동명사	(시험 삼아) ❷
try + to부정사	~하려고 노력하다
regret + 동명사	~했던 것을 후회하다
regret + to부정사	~할 것을 유감으로 여기다

답 ❶ 했던 것을 ❷ ~해 보다

핵심정리 08 목적어: that, if, whether절

- believe, find, hear, hope, know, say, think 등: that절을 목적어로 쓰며 목적어로 쓰인 that은 **❶** 하는 경우가 많다.
- ask, tell, wonder 등의 동사 뒤에 **❷** 절이나 whether절을 목적어로 쓸 수 있고 '~인지 아닌지'로 해석한다.
- 접속사 if와 whether의 차이

if	whether
주로 목적어 명사절을 이끌 때 쓴다.	주어, 목적어, 보어 명사절 모두에 쓴다.
if or not 형태로 쓸 수 없다. (if ~ or not 형태는 가능)	whether or not 형태로 쓸 수 있다.

답 ❶ 생략 ❷ if

06 핵심 정리 예제

○ 다음 문장의 네모에서 알맞은 말을 <u>모두</u> 고르시오.

1 We keep [searching / to search] for answers on the Internet.

2 She agreed [letting / to let] me go early.

3 The watermelon started [growing / to grow].

답 1 searching 2 to let 3 growing, to grow

05 핵심 정리 예제

○ 다음 문장의 네모에서 알맞은 말을 고르시오.

1 [It / That] is important to keep trying.

2 It doesn't matter [that / whether] you answer or not.

3 It is unbelievable [that / what] you are treating me to all this food.

답 1 It 2 whether 3 that

08 핵심 정리 예제

○ 다음 네모에서 알맞은 말을 고르시오.

1 I want to know [if / that] Jane liked the musical "Aida."

2 I wonder [that / whether] my teacher is interested in my plan.

3 I didn't expect [whether/ that] he would give away his umbrella.

답 1 if 2 whether 3 that

07 핵심 정리 예제

○ 다음 우리말과 같도록 빈칸에 알맞은 말을 쓰시오.

1 그는 나에게 돈을 빌려 줬던 것을 잊지 않았다.
   ➡ He didn't forget [   ] me money.

2 우산을 가져와야 할 것을 잊지 마라.
   ➡ Don't forget [   ] your umbrella.

3 우리는 당신의 불편을 최소화하기 위해 노력할 것이다.
   ➡ We will try [   ] your inconveniences to a minimum.

답 1 lending 2 to bring 3 to keep

자르는 선

핵심정리 09 목적어: 의문사절, what절

- 주어 + 동사 + 의문사절(who, what, which, when, where, why, how 주어 + 동사): [❶   ] 절이 목적어로 쓰인다.

- 주어 + 동사 + 관계대명사 what절: [❷   ]를 포함한 관계대명사 what절이 목적어로 쓰인다.

> Tip 목적어로 쓰인 의문사 what절은 '무엇을'로 해석하고, 관계대명사 what절은 '~하는 것을'로 해석해요!

답 ❶ 의문사 ❷ 선행사

핵심정리 10 주격보어

- 주격보어로 명사(구), 대명사, 형용사, 동명사, to부정사, 의문사 + to부정사, 명사절 등이 쓰인다.

- '상태동사 / 감각동사 + to부정사'에서 to부정사는 [❶   ]로 쓰인다.
  - 상태·변화 동사: be, keep, remain, become, get, grow, turn(~한 상태이다, ~이 되다)
  - 감각동사: look, smell, feel, taste, sound
  - 기타: seem, appear(~처럼 보이다)

- be동사 + [❷   ]: 예정, 의무, 가능, 운명, 의지 등의 의미를 나타낸다.

답 ❶ 주격보어 ❷ to부정사

핵심정리 11 주격보어: 분사(감정 형용사)

- [❶   ]을 나타내는 동사 interest, excite, surprise, disappoint 등의 현재분사, 과거분사는 형용사로 굳어져 주격보어로 쓰인다.

amazing 놀라운 disappointing 실망시키는 surprising 놀라운 confusing 혼란시키는	현재분사형 감정형용사는 주로 **사물**이 주어이거나 사물을 수식할 때 쓰인다.
amazed 깜짝 놀란 disappointed 실망한 surprised 놀란 confused 혼란한	과거분사형 감정형용사는 [❷]이 주어이거나 **사람**을 수식할 때 쓰인다.

답 ❶ 감정 ❷ 사람

핵심정리 12 목적격보어: to부정사, 동사원형

- 5형식 '주어(S) + 동사(V) + 목적어(O) + 목적격보어(OC)' 구문에서 동사가 want, advise, ask, tell, order 등일 때 목적격보어로 [❶   ]를 쓴다.

- 지각동사와 사역동사의 목적격보어는 동사원형(행위, 상태의 서술)을 쓴다.

- help는 to부정사나 [❷   ]을 모두 목적격보어로 쓸 수 있다.

> Tip 목적어와 목적격보어는 주어-술어 관계예요!

답 ❶ to부정사 ❷ 동사원형

○ 다음 우리말과 같도록 네모에서 알맞은 말을 고르시오.

1 그 숫자들은 연관성이 없어 보인다.

➡ The figures do not ⌞seem / seem to⌟ correlate.

2 내 관심사는 내가 내 미래를 위해 무엇을 해야 하는가이다.

➡ My concern is ⌞what / how⌟ to do for my future.

3 이 지역에 급수가 중단될 예정입니다.

➡ There ⌞is / is to⌟ be a stoppage of water supply for this district.

📋 1 seem to 2 what 3 is to

○ 다음 네모에서 알맞은 말을 고르시오.

1 The new manager wants to know ⌞that / what⌟ he should do next.

2 The emperor couldn't see ⌞whether / what⌟ he was wearing.

3 I asked ⌞that / why⌟ he used these old bicycle parts.

📋 1 what 2 what 3 why

○ 다음 네모에서 알맞은 말을 모두 고르시오.

1 My manager wants us ⌞to finish / finishing⌟ the work by the day after tomorrow.

2 We can watch him ⌞grow / to grow⌟ up week after week.

3 Dr. Martin helped me ⌞adjust / to adjust⌟ to the culture in the U.S.

📋 1 to finish 2 grow 3 adjust, to adjust

○ 다음 우리말과 같도록 네모에서 알맞은 말을 고르시오.

1 관중은 빗속에서 환호하며 서 있었다.

➡ The audience stood ⌞cheered / cheering⌟ in the rain.

2 Susan은 그 책의 성공에 놀랐다.

➡ Susan was ⌞surprising / surprised⌟ by the book's success.

3 상자에 붙은 설명서가 몹시 혼란스럽다.

➡ The instructions on the box are very ⌞confusing / confused⌟.

📋 1 cheering 2 surprised 3 confusing

자르는 선

핵심 정리 13 목적격보어: 현재분사, 과거분사

- 지각동사, 사역동사의 목적격보어는 행위, 상태를 서술하는 **동사원형**을 주로 쓴다.

- 지각동사와 일부 5형식 동사의 목적어와 목적격보어의 관계에 따라 목적격보어로 **현재분사, 과거분사**를 쓸 수 있다.

지각동사	+ 목적어 + ❶	능동·진행일 때
keep, leave, find	+ 목적어 + ❷	수동·완료일 때

- 사역동사의 목적어와 목적격보어가 수동 관계이면 목적격보어는 과거분사를 쓴다.

답 ❶ 현재분사 ❷ 과거분사

핵심 정리 14 수식어: to부정사(형용사적 용법)

- 형용사 + 명사: 보통 형용사가 명사 앞에서 수식한다.
  a b**e**utiful princess

- 명사 + to부정사: to부정사는 명사의 ❶ 에서 수식하며 형용사 역할을 하고, '~할/~하는'으로 해석한다.
  some bread **to eat**

- 명사 + to부정사 + 전치사: to부정사의 수식을 받는 명사가 전치사의 목적어일 때 to부정사 뒤에 ❷ 를 쓴다.
  a house to live **in**

답 ❶ 뒤 ❷ 전치사

핵심 정리 15 대명사 + (형용사 +) to부정사

- -thing / -one / -body + 형용사: -thing, -one, -body로 끝나는 대명사는 형용사가 ❶ 뒤에서 수식한다.

- -thing / -one / -body + 형용사 + to부정사: -thing, -one, -body로 끝나는 대명사는 형용사와 to부정사가 함께 수식할 때 '형용사 + to부정사'는 대명사의 ❷ 수식한다.

답 ❶ 대명사 ❷ 뒤에서

핵심 정리 16 수식어: 현재분사, 과거분사

- 분사 + 명사: 수식어가 한 단어일 때 명사의 앞에서 수식한다.

- 명사 + 분사: 분사가 다른 어구를 수반할 때 명사의 뒤에서 수식한다.

- 명사와 분사의 관계가 능동, 진행일 때 ❶ 를 쓰며, 수동, 완료일 때 ❷ 를 쓴다.

현재분사 + 명사	능동, 진행
명사 + 현재분사구	
과거분사 + 명사	수동, 완료
명사 + 과거분사구	

- 명사 뒤에서 분사가 수식할 때 분사 앞에 '주격 관계대명사 + be동사'가 생략된 것으로 볼 수 있다.

답 ❶ 현재분사 ❷ 과거분사

14 핵심 정리 예제

○ 다음 문장에서 명사를 수식하는 수식어(형용사구)를 찾아 쓰시오.

1 The class requires a teacher to teach it and students to take it.

2 Intelligence is the ability to adapt to change.

3 A very handsome prince met an exceptionally beautiful princess.

답 1 to teach it, to take it 2 to adapt 3 handsome, beautiful

---

13 핵심 정리 예제

○ 다음 네모에서 알맞은 말을 고르시오.

1 Many people find themselves returned / returning to their old habits.

2 I thought I heard somebody to call / calling .

3 I had my wallet steal / stolen in Chesterfield.

답 1 returning 2 calling 3 stolen

---

16 핵심 정리 예제

○ 다음 네모에서 알맞은 말을 고르시오.

1 He was looking at the fire burning / burned brightly.

2 He found the book hiding / hidden in the box.

3 What is the language which is speaking / spoken in Iran?

답 1 burning 2 hidden 3 spoken

---

15 핵심 정리 예제

○ 다음 밑줄 친 부분을 수식하는 말을 찾아 쓰시오.

1 I have something important to give you.

2 She had nobody to turn to except me.

3 Most teenagers find something to rebel against.

답 1 important, to give 2 to turn to 3 to rebel against

수능 영어에 다가가는 완벽한 첫걸음!

시작은 # 하루 수능 영어

간결하고 체계적인 구성

하루 6쪽, 일주일에 5일!
4주 20일 완성의 간결한 구성으로
단기간에 수능 영어 입문!

쉽고 재미있는 영어 공부

쉬운 개념과 재미있는 만화,
부담 없는 하루 분량으로
혼자서도 지루하지 않게 자기주도학습!

최적의 수능 입문서

수능 영어가 어렵게 느껴진다면?
꼭 필요한 기초 요소만 다룬
최적의 수능 맛보기 교재로 START!

수능 영어가 궁금한 사람들 모두 여기 주목!! (구문 기초/유형 기초/어휘·어법)

book.chunjae.co.kr

교재 내용 문의	⋯⋯⋯⋯	교재 홈페이지 ▶ 고등 ▶ 교재상담
교재 내용 외 문의	⋯⋯⋯	교재 홈페이지 ▶ 고객센터 ▶ 1:1문의
발간 후 발견되는 오류	⋯⋯⋯	교재 홈페이지 ▶ 고등 ▶ 학습지원 ▶ 학습자료실

7일 끝

시험 대비 구문 기초

7일 끝으로 끝내자!

고등 영어 구문

BOOK 2

천재교육

언제나 만점이고 싶은 친구들 ────────

Welcome!

숨 돌릴 틈 없이 찾아오는 시험과 평가.
성적과 입시 그리고 미래에 대한 걱정.
중·고등학교에서 보내는 6년이란 시간은
때때로 힘들고, 버겁게 느껴지곤 해요.

그런데 여러분, 그거 아세요?
지금 이 시기가 노력의 대가를
가장 잘 확인할 수 있는 시간이라는 걸요.

안 돼, 못하겠어, 해도 안 될 텐데―
어렵게 생각하지 말아요. 천재교육이 있잖아요.
첫 시작의 두려움을 첫 마무리의 뿌듯함으로 바꿔줄게요.

펜을 쥐고 이 책을 펼친 순간
여러분 앞에 무한한 가능성의 길이 열렸어요.

우리와 함께 꽃길을 향해 걸어가 볼까요?

#시험대비
#핵심정복

7일 끝
시험 대비
구문 기초

Chunjae
Makes
Chunjae

▼

편집개발	고명희, 김창숙
제작	황성진, 조규영

발행일	2021년 4월 15일 초판 2021년 4월 15일 1쇄
발행인	(주)천재교육
주소	서울시 금천구 가산로9길 54
신고번호	제2001-000018호
고객센터	1577-0902
교재 내용문의	(02)3282-8837

7일 끝으로 끝내자!

7 고등 영어 구문

BOOK 2

이 책의 구성과 활용

일별 시험 공부

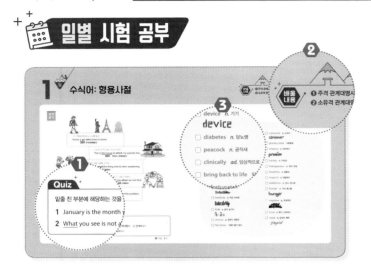

생각 열기 + 단어 미리 보기

만화와 함께 본격적인 공부에 앞서 학습 내용을 가볍게 짚고 넘어 갈 수 있습니다.

❶ Quiz | 간단한 퀴즈를 통해 기본적인 내용을 알고 있는지 확인 하기

❷ 배울 내용 | 오늘 공부할 학습 내용 확인하기

❸ 단어 미리 보기 | 오늘 학습에 필요한 단어 확인하기

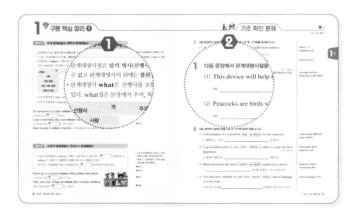

구문 핵심 정리 + 기초 확인 문제

꼭 알아야 구문 핵심 내용을 공부하고, 기초 확인 문제를 통해 개념 을 잘 이해했는지 꼼꼼히 확인할 수 있습니다.

❶ 구문 핵심 정리 | 빈칸 문제를 채우며 핵심 내용 체크하기

❷ 기초 확인 문제 | 구문 핵심 정리 내용에 대한 기초 확인 문제 풀기

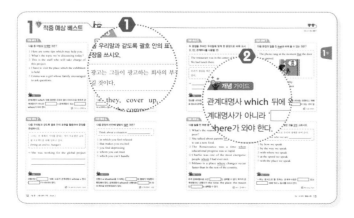

적중 예상 베스트

학교 시험 유형의 대표 예제를 연습하여 학교 시험에 효과적으로 대비할 수 있습니다.

❶ 기출 지문 활용 | 전국연합학력평가의 기출 지문을 활용하여 학교 시험 문제 유형 익히기

❷ 개념 가이드 | 빈칸을 채우며 문제를 푸는 데 도움이 되는 개념 확인하기

시험 공부 마무리 테스트

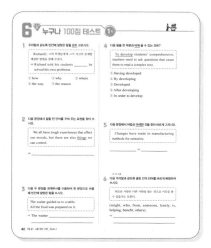

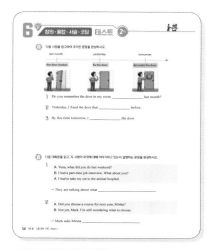

누구나 100점 테스트

아주 쉬운 예상 문제로 100점에 도전하여 시험에 대한 자신감을 키울 수 있습니다.

창의·융합·서술·코딩 테스트

쉽고 다양한 서술형 문제를 통해 어렵게 느껴지는 서술형 문제에 대한 자신감을 키울 수 있습니다.

학교 시험 기본 테스트

학교 시험 유형의 예상 문제를 풀어 봄으로써 내신에 대한 자신감을 키울 수 있습니다.

시험 직전까지 챙겨야 할 부록

◇ 핵심 정리 총집합 카드

가장 중요한 핵심 내용만 모아 카드 형식으로 수록하였습니다.
휴대하여 이동할 때나 시험 직전에 활용할 수 있습니다.

◇ 어휘 목록 / 어휘 테스트

7일 동안 학습한 어휘를 정리하고 테스트를 통해 확인할 수 있도록 했습니다.

이 책의 **차례**

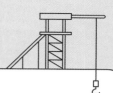

1일 수식어: 형용사절

생각 열기

나는 여행을 좋아하는 소녀를 안다.
I know a girl **who** loves to travel.
　　　　　선행사　주격 관계대명사

이곳은 내 부모님이 사시는 집이다.
This is the house **in which** my parents live.
　　　　　선행사　　전치사 + 관계대명사

나는 그녀가 설명하는 것을 이해할 수 없다.
I can't understand **what**[the thing which] she's explaining.
　　　　　선행사를 포함한 관계대명사

나는 아직도 우리가 처음 만난 날을 기억한다.
I still remember the day **when** we met first.
　　　　　선행사(시간)　관계부사

나는 네가 그 문제를 어떻게 해결했는지 알고 싶다.
I want to know **the way**(how) you solved the problem.
　　　　　선행사(방법)　관계부사

Quiz

밑줄 친 부분에 해당하는 것을 괄호에서 고르시오.

1 January is the month <u>when</u> we have a lot of snow. (① 관계대명사　② 관계부사)

2 <u>What</u> you see is not always true. (① 관계대명사　② 관계부사)

답 1 ②　2 ①

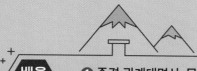
단어 미리 보기

check~

☐ device *n.* 기기

device

☐ diabetes *n.* 당뇨병

☐ peacock *n.* 공작새

☐ clinically *ad.* 임상적으로

☐ bring back to life 되살리다

☐ unfortunately *ad.* 불행하게도

☐ philosopher *n.* 철학자

☐ sound wave 음파

☐ native language 모국어

☐ overcome *v.* 극복하다

overcome

☐ hardship *n.* 역경, 어려움

hardship

☐ hide *v.* 숨다, 숨기다

hide

☐ normal *a.* 정상인, 평범한

☐ feel down 기분이 좋지 않다

☐ consumer *n.* 소비자

consumer

☐ grocery store 식료품점

☐ promise *v.* 약속하다

promise

☐ variety *n.* 다양성

☐ management *n.* 관리, 조절

☐ flexibility *n.* 융통성

☐ respond *v.* 대응하다

☐ exhibition *n.* 전시, 전시회

☐ hunger *n.* 기아, 배고픔

hunger

☐ negative *a.* 부정적인

negative

☐ trust *v.* 믿다, 신뢰하다

☐ rapid *a.* 급속한, 빠른

rapid

개념 1 　주격 관계대명사, 목적격 관계대명사

- 관계대명사절은 앞의 명사(선행사)를 수식하는 형용사 역할을 한다. 선행사는 생략할 수 없고 관계대명사의 뒤에는 **불완전한 문장**이 온다.
- 관계대명사 **what**은 선행사를 포함하고 있고 **the thing(s) which**로 바꿔 쓸 수 있다. what절은 문장에서 주어, 목적어, 보어로 쓰인다.

격 선행사	주격	소유격	목적격
사람	who	whose	who(m)
사물, 동물	which	whose / of which	which
사람, 사물, 동물	that	–	that
선행사 포함	what	–	what

- 주격 관계대명사 who, which, that 뒤에는 [❶ 　　　　]가 이어진다.
- 목적격 관계대명사 who(m), which, that 뒤에는 [❷ 　　　　]와 동사가 이어진다.

> - 목적격 관계대명사는 생략할 수 있다.
> - '주격 관계대명사 + be동사'는 생략할 수 있다.
>
> ❶ 동사
> ❷ 주어

He sat down in a chair **which** looked comfortable.

그는 편해 보이는 [❸ 　　　]에 앉았다.
> ❸ 의자

I can't remember the man **whom** I met at the party.

나는 파티에서 만난 [❹ 　　　]를 기억하지 못한다.
> ❹ 남자

Inner beauty is **what** I cherish. 내면의 아름다움이 내가 소중히 여기는 것이다.

개념 2 　소유격 관계대명사, 전치사 + 관계대명사

- 소유격 관계대명사 whose 뒤에는 소유격의 수식을 받는 [❺ 　　　]가 따라오고, whose는 선행사가 **사람이나 사물**일 때 모두 사용할 수 있다.
- '전치사 + 관계대명사'에서 관계대명사는 [❻ 　　　]의 목적어 역할을 한다.

> - 소유격 관계대명사와 '전치사 + 관계대명사' 뒤에는 완전한 문장이 온다.
> - '콤마(,) + 관계대명사' 이하의 절은 선행사를 보충 설명한다.
>
> ❺ 명사
> ❻ 전치사

Never go to a doctor **whose** office plants have died.

사무실 화초가 죽은 [❼ 　　　]에게 가지 마라.
> ❼ 의사

They miss the village **in which** they lived as children.

그들은 어렸을 때 살았던 [❽ 　　　]을 그리워한다.
> ❽ 마을

1일

1 다음 문장에서 관계대명사절을 찾아 밑줄을 그은 후, 그 부분을 해석해 보시오.

(1) This device will help many people who suffer from diabetes.

➡ _____

device 기기
diabetes 당뇨병

(2) Peacocks are birds whose tails spread out like a fan.

➡ _____

peacock 공작새

🖉 고1 9월 응용

(3) Someone who is only clinically dead can often be brought back to life.

➡ _____

clinically 임상적으로
bring back to life 되살리다

2 다음 네모에서 알맞은 말을 고른 후, 빈칸에 알맞은 말을 쓰시오.

(1) Unfortunately, it is a problem | that / at which | no one expected.

➡ 불행히도, 그것은 _____ 문제이다.

unfortunately 불행하게도
expect 예상하다

(2) A good philosopher is one | who / which | is able to create the best arguments.

🖉 고1 6월 응용

➡ 훌륭한 철학자는 _____ 사람이다.

philosopher 철학자
argument 논쟁

(3) What determines the speed | which / at which | sound waves move?

➡ _____ 속도를 결정하는 것은 무엇인가?

determine 결정하다
sound wave 음파

(4) You may have students in your class | whom / whose | native language is not Korean.

➡ 당신의 교실에 _____ 학생들이 있을지도 모른다.

native language 모국어

1일 구문 핵심 정리 ❷

개념 3 관계부사 when, where

- 관계부사는 선행사를 수식하는 절을 이끌며 접속사와 ❶ [   ]의 역할을 한다. 관계부사 뒤에는 완전한 문장이 온다.

	선행사	관계부사	전치사 + 관계대명사
시간	the time, the day, the year 등	when	at / in / on + which
장소	the place, the city, the house 등	where	in / at / on + which

- 선행사가 시간을 나타낼 때에는 관계부사 when을 쓰고, 선행사가 장소를 나타낼 때에는 관계부사 ❷ [   ]를 쓴다.

I miss the days **when** I had a smile on my face.

나는 내 얼굴에 미소가 있었던 그 ❸ [   ]이 그립다.

Do you remember the place **where** we first met?

너는 우리가 처음 만났던 ❹ [   ] 기억하니?

- 선행사 the time, the place를 수식할 때 **관계부사 또는 선행사가 생략**되기도 한다.

❶ 부사

❷ where

❸ 날들

❹ 장소를

개념 4 관계부사 why, how

- 선행사가 **이유**를 나타낼 때 관계부사 ❺ [   ]를 쓰고, 선행사가 **방법**을 나타낼 때 관계부사 how를 쓴다.

	선행사	관계부사	전치사 + 관계대명사
이유	the reason	why	for which
방법	(the way)	how	in which

- 방법을 나타내는 선행사 the way와 관계부사 ❻ [   ]는 함께 쓸 수 없고, 둘 중 하나만 쓴다.

- 관계부사 대신 that을 쓰기도 한다.
- '콤마(,) + 관계부사' 이하의 절은 선행사를 보충 설명한다.

❺ why

❻ how

Tell me the reason **why** you are late for school today.

오늘 학교에 늦은 ❼ [   ]를 말해 봐.

This is **how〔the way〕** I overcame hardships.

이것이 내가 고난을 극복한 ❽ [   ]이다.

cf. This is <u>the way how</u> I overcame hardships.
　　　　　　(×)

❼ 이유

❽ 방법

3 다음 문장에서 관계부사절을 찾아 밑줄을 그은 후, 그 부분을 해석해 보시오.

(1) There was no place where I could hide.

➡ _____

hide 숨다, 숨기다

(2) It's normal to have some days when you feel down.

➡ _____

normal 정상적인
feel down 기분이 좋지 않다

(3) Technology changes the way we talk.

➡ _____

4 다음 네모에서 알맞은 말을 고르고, 빈칸에 알맞은 말을 쓰시오.

(1) Here are the reasons why / when consumers shop online rather than in stores.

➡ 다음은 _____ 이유이다.

consumer 소비자

(2) Imagine the grocery store why / where you shop the most. ✏고1 3월 응용

➡ _____ 식료품점을 상상해 보라.

grocery store 식료품점

(3) Don't forget the time how / when we promised to meet.

➡ _____ 시간을 잊지 마라.

promise 약속하다

✏고1 9월 응용

(4) By learning a variety of anger management strategies, you develop control and flexibility in how / what you respond to angry feelings.

➡ 다양한 분노 조절 전략을 배움으로써, 당신은 _____ 에 있어 통제와 융통성을 발전시킨다.

variety 다양성
management 관리, 조절
flexibility 융통성
respond 대응하다

대표 예제 1

다음 중 어법상 <u>어색한</u> 것은?

① Here are some tips which may help you.
② What's the topic we're discussing today?
③ This is the staff who will take charge of this project.
④ I have to visit the place which the exhibition is held.
⑤ Emma was a girl whose family encouraged to ask questions.

개념 가이드

관계대명사 which 뒤에 완전한 구조의 절이 이어지므로 목적격 관계대명사가 아니라 '[   ] + 관계대명사' 또는 [   ] where가 와야 한다.

답 전치사, 관계부사

대표 예제 2

다음 우리말과 같도록 괄호 안의 표현을 활용하여 문장을 완성하시오.

> 그녀는 전 세계의 기아를 끝내는 것이 목표였던 글로벌 프로젝트를 위해 일하고 있다.
> (bring an end to, hunger)

➡ She was working for the global project
_____
_____.

개념 가이드

선행사인 [   ] 뒤에 '소유격 관계대명사 whose + 명사([   ])'가 이어져야 한다.

답 the global project, goal

대표 예제 3

✎ 고1 3월 응용

다음 우리말과 같도록 괄호 안의 표현을 바르게 배열하여 문장을 쓰시오.

> 광고는 그들이 광고하는 회사의 부정적인 측면을 숨길 것이다.

(ads, they, cover up, will, aspects, of, negative, the company, advertise).

➡ _____
_____

개념 가이드

'그들이 광고하는 회사'에서 선행사인 [   ]를 수식하는 [   ] 관계대명사절의 어순은 '선행사 + (목적격 관계대명사 +) 주어 + 동사'가 되어야 한다.

답 the company, 목적격

대표 예제 4

다음 문장의 빈칸에 알맞지 <u>않은</u> 것은?

> Think about a situation _____.

① in which you feel relaxed
② that makes you excited
③ you find depressing
④ whom you can trust
⑤ which you can't handle

개념 가이드

선행사 a situation을 수식하는 [   ]의 형태가 적절한지 확인해야 한다. 관계대명사 whom은 선행사로 [   ]이 와야 하므로 빈칸에 알맞지 않다.

답 관계대명사, 사람

1일

대표 예제 5

두 문장을 주어진 우리말에 맞게 한 문장으로 바꿔 쓰시오. (단, 관계부사를 사용할 것)

The restaurant was in the center of Moscow. We had lunch there.

우리가 점심을 먹은 그 식당은 모스크바 중심가에 있었다.

➡ _____

_____

개념 가이드

장소를 나타내는 선행사인 [   ]과 **there**가 공통 요소이므로 장소의 관계부사 [   ]로 연결할 수 있다.

답 The restaurant, where

대표 예제 6

다음 밑줄 친 부분 중 생략할 수 <u>없는</u> 것은?

① What's the reason <u>why</u> some of us are so poor?
② She talked about parents <u>who</u> force a child to eat a new food.
③ The Renaissance was a time <u>when</u> educational progress was so rapid.
④ Charlie was one of the most energetic people <u>whom</u> I had ever met.
⑤ Milano is a place <u>where</u> changes occur faster than in the rest of the country.

개념 가이드

주격 관계대명사로 쓰인 [   ]는 생략할 수 없다. 목적격 관계대명사나 선행사가 **the time**, **the place**, **the reason**인 [   ]는 생략할 수 있다.

답 who, 관계부사

대표 예제 7

다음 문장의 밑줄 친 <u>that</u>과 바꿔 쓸 수 있는 것은?

The phone rang at the moment <u>that</u> the door was opened.

① which
② why
③ where
④ when
⑤ how

개념 가이드

선행사 **the moment**가 [   ]을 나타내는 표현이고, 뒤에 완전한 문장이 이어지므로, 관계부사 [   ]이 오는 것이 알맞다.

답 시간, when

대표 예제 8

우리말과 같도록 빈칸에 알맞은 것을 <u>모두</u> 고르시오.

우리는 말하는 방식으로 우리의 정체를 보여 준다.
➡ We show who we are _____.

① by how we speak
② by the way we speak
③ with where we speak
④ at the speed we speak
⑤ with the place we speak

개념 가이드

'~하는 방식으로'를 뜻하는 관계부사절은 [   ] 또는 [   ] 뒤에 '주어 + 동사'를 이어서 쓴다.

답 the way, how

2일 수식어: 부사

생각 열기

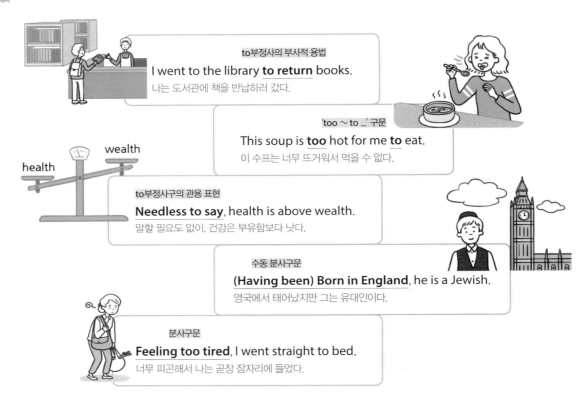

to부정사의 부사적 용법
I went to the library **to return** books.
나는 도서관에 책을 반납하러 갔다.

'too ~ to ...' 구문
This soup is **too** hot for me **to** eat.
이 수프는 너무 뜨거워서 먹을 수 없다.

to부정사구의 관용 표현
Needless to say, health is above wealth.
말할 필요도 없이, 건강은 부유함보다 낫다.

수동 분사구문
(Having been) Born in England, he is a Jewish.
영국에서 태어났지만 그는 유대인이다.

분사구문
Feeling too tired, I went straight to bed.
너무 피곤해서 나는 곧장 잠자리에 들었다.

Quiz

밑줄 친 부분에 해당하는 의미를 고르시오.

1 <u>Not getting tickets</u>, we couldn't go to the concert. (① 시간   ② 이유)

2 <u>Cleaning out the closet</u>, I found my socks. (① 시간   ② 이유)

답 1 ② 2 ①

단어 미리 보기

check~

☐ decision *n.* 결정

☐ policy *n.* 정책

☐ deaf *a.* 청각 장애가 있는

☐ dumb *a.* 말을 못하는

☐ express *v.* 표현하다

☐ pleased *a.* 기쁜

pleased

☐ courageous *a.* 용감한

☐ admit *v.* 인정하다

admit

☐ solar power 태양열 발전

☐ blend in 섞이다, 조화를 이루다

☐ wounded *a.* 부상당한

☐ immediately *ad.* 즉시

☐ determined *a.* 결심한

☐ arm *v.* 무장시키다

☐ settle *v.* 정착하다

settle

☐ volunteer *v.* 자원하다

volunteer

☐ head *v.* 향하다

☐ consult *v.* 상담하다

consult

☐ failure *n.* 실패

☐ experience *n.* 경험

☐ safety *n.* 안전

safety

☐ guideline *n.* 가이드라인, 안내 지침

☐ escape *v.* 피하다, 탈출하다

escape

☐ pedestrian *n.* 보행자

☐ habit *n.* 습관

☐ creep *v.* 기어가다

개념 1 to부정사의 부사적 용법

- to부정사는 문장 내에서 ❶[   ]로 쓰여, 형용사, 부사, 문장 전체를 수식할 수 있다.
- 부사적 용법의 to부정사는 다음과 같은 다양한 의미를 나타낼 수 있다.

목적	~하기 위해 (=in order to)	감정의 원인	~해서
		결과	그 결과 ~하다
판단의 근거	❷[ ]	형용사 수식	~ 하기에

❶ 부사

❷ ~하다니

I went to Jeonju **to visit** my parents. (목적)

나는 부모님 댁을 ❸[   ] 전주에 갔다.

She must be smart **to solve** the problem. (판단의 근거)

그 문제를 풀다니 그녀는 똑똑함에 틀림없다.

I'm so glad **to meet** you today. (감정의 원인)

오늘 너를 ❹[   ] 참 기쁘다.

She grew up **to be** a professor. (결과) 그녀는 자라서 교수가 되었다.

This article is difficult **to understand**. (형용사 수식) 이 기사는 이해하기 어렵다.

❸ 방문하기 위해(방문하러)

❹ 만나서

개념 2 to부정사의 관용 표현

- 형용사/부사 + enough + ❺[   ]: ~할 만큼 충분히 …한/…하게
- too + 형용사/부사 + to부정사: ~하기에는 너무 …한/…하게
- 관용적 표현: to be sure(확실히), to begin with(우선)
  to tell the truth(솔직히 말하면), needless ❻[   ](말할 필요도 없이)

❺ to부정사

❻ to say

My child is old **enough to** make a good decision.

내 아이는 좋은 결정을 내릴 만큼 ❼[   ] 나이가 들었다.

I think it's **too** late to **go** outside. 밖에 나가기에는 너무 늦은 것 같다.

To tell the truth, honesty may not be always the best policy.

❽[   ], 정직이 항상 최선의 방책은 아닐지도 모른다.

❼ 충분히

❽ 솔직히 말하면

1 괄호 안의 말을 빈칸에 알맞은 형태로 고쳐 쓰고, 문장 전체를 해석해 보시오.

(1) The deaf and dumb use sign language _____(express) their ideas.

express 표현하다

➡ _____

(2) As the only new kid in the school, she was pleased _____ (have) a lab partner. ✎고1 6월

pleased 기쁜
lab 실험실(laboratory)

➡ _____

(3) Needless _____(say), I did not follow the path chosen for me by my family.

path 길, 진로

➡ _____

2 괄호 안의 표현의 위치로 알맞은 곳을 고르고, 문장 전체를 해석해 보시오.

(1) ① He was ② courageous ③ his ④ fault ⑤. (to admit)

courageous 용감한
admit 인정하다

➡ _____

(2) ① She is ② smart ③ enough ④ in this tough world ⑤. (to survive)

tough 험한, 힘든

➡ _____

(3) ① Some argue ② that solar power is ③ too expensive ④ of use ⑤. (to be)

solar power 태양열 발전

➡ _____

(4) ① Some animals ② change ③ their shape or color ④ with their surroundings ⑤. (to blend in)

blend in 섞이다, 조화를 이루다

➡ _____

개념 3 │ 분사구문

- 분사구문은 문장의 앞이나 중간 또는 뒤에서 **문장 전체를 수식하는** ❶ [　　　] 역할을 한다.
- 분사구문은 ❷ [　　　]로 시작하는 부사구로 주절의 의미를 보충하며 문맥에 따라 시간, 이유, 조건, 양보, 동시동작, 연속동작 등 다양한 의미를 나타낸다.
- 절을 분사구문으로 만드는 법

  1. 부사절의 접속사 생략
  2. 부사절의 주어 생략 (주절의 주어와 같을 때)
  3. 동사를 현재분사로 바꾸기

  ~~When~~ I heard the news, I was very surprised.

  Hearing the news, I was very surprised.

He had lunch **(while) listening to music**. 그는 음악을 ❸ [　　　] 점심을 먹었다.

(동시동작) (= while he was listening to music)

Getting up too late, she was late for school.

(이유) (= Because she got up too late)

너무 늦게 ❹ [　　　], 그녀는 학교에 지각했다.

Tip: 'Being + 형용사' 형태의 분사구문은 Being을 생략할 수 있어요!

• 분사구문의 의미

시간	~할 때
이유	~하기 때문에
조건	~한다면
양보	비록 ~에도 불구하고
동시동작	~하면서
연속동작	~하고 나서 …하다

- 분사구문의 의미를 분명히 하기 위해 분사구문 앞에 접속사를 쓰기도 한다.
- 분사구문의 주어가 주절의 주어와 다른 경우, 분사구문 앞에 주어를 표시한다.

ex. **My car** being out of order, I went to the garage.

❶ 부사
❷ 현재분사
❸ 들으면서
❹ 일어나서

개념 4 │ 수동 분사구문, 완료 분사구문

- 수동 분사구문: '(Being +)과거분사'는 ❺ [　　　] 의미를 표현한다.
- 완료 분사구문: '❻ [　　　] + 과거분사'의 형태로 주절보다 먼저 일어난 일을 표현한다.

	단순 분사구문	완료 분사구문
능동태	현재분사 ~	having + 과거분사 ~
수동태	being + 과거분사 ~	having been + 과거분사 ~

❺ 수동
❻ Having

(Being) Wounded in my right arm, I couldn't write at all.

오른팔에 ❼ [　　　], 나는 전혀 글을 쓸 수가 없었다.

Having finished her work, she turned off the computer.

일을 ❽ [　　　], 그녀는 컴퓨터를 껐다.

❼ 부상을 입어서

❽ 끝낸 후에

3 분사구문에 밑줄을 긋고 우리말의 빈칸에 알맞은 말을 쓰시오.

(1) You may fight back, reacting immediately. ✎고1 6월응용

➡ 당신은 _____ 반격할 수도 있다.

immediately 즉시

(2) Having lost his job, Max came to me for advice.

➡ _____, Max는 나에게 조언을 구하러 왔다.

(3) Determined to be the best golfer, he spent most of his time practicing.

➡ _____, 그는 대부분의 시간을 연습하는 데 보냈다.

determined 결심한

4 다음 네모에서 알맞은 것을 고르고, 우리말의 빈칸에 알맞은 말을 쓰시오.

(1) ☐ Arming / Armed ☐ with scientific knowledge, people build tools and machines. ✎고1 9월응용

➡ _____, 사람들은 도구와 기기를 만든다.

arm 무장시키다

(2) ☐ Seek / Seeking ☐ a new start, Sara settled in her new home.

➡ _____, Sara는 새 집에 정착했다.

settle 정착하다

(3) ☐ Feeling / Felt ☐ confident, some students volunteered to answer a series of difficult questions.

➡ _____, 일부 학생들은 일련의 어려운 질문에 자진해서 대답했다.

volunteer 자원하다

(4) ☐ Having / Had ☐ finished the meal, we headed to the old town.

➡ _____, 우리는 구시가지로 향했다.

head 향하다

2일 적중 예상 베스트

대표 예제 1

다음 문장의 빈칸에 알맞은 것은?

> _____, I could avoid getting wet.

① Had an umbrella
② Have an umbrella
③ Having an umbrella
④ Have had an umbrella
⑤ Having been an umbrella

개념 가이드

주절(비에 젖는 것을 피할 수 있었던 것)에 대한 이유를 나타내는 [   ]을 써야 하므로 '[   ](동사원형 + -ing) ~' 형태로 표현한다.

답 분사구문, 현재분사

대표 예제 2

✎ 고1 9월

다음 우리말과 같도록 밑줄 친 부분을 어법에 맞게 고치시오. (단, 분사구문을 활용할 것)

> 아직 자신의 성공에 놀란 상태로, 그는 이제 결승전에 서게 되었다.
> = Still amaze by his success, he was now in the finals.

➡ _____

개념 가이드

주절의 의미를 보충해 주는 분사구문이다. amaze는 '놀라게 하다'의 뜻으로, 주절의 주어인 '[   ]'와 [   ] 관계이다.

답 he, 수동

대표 예제 3

다음 빈칸에 알맞은 말을 괄호 안의 말을 바르게 배열하여 쓰시오.

> At twenty-six I thought _____ _____ my own consulting firm. It proved to be a big failure but a great learning experience.

(was, I, enough, smart, to start)

➡ _____

개념 가이드

'형용사/부사 + enough + [   ]'는 '~할 만큼 충분히 …한/하게', 'prove + [   ]'는 '~임이 증명되다'의 뜻이다.

답 to부정사, to부정사

대표 예제 4

빈칸 (A), (B)에 알맞은 말로 짝지어진 것은?

> • ___(A)___ safely from this island, we must follow safety guidelines.
> • Many scientists agree that his theory is not easy ___(B)___.

	(A)	(B)
①	Escaping	– understanding
②	Escaping	– to understand
③	To escape	– to understand
④	To escape	– understanding
⑤	Having escaped	– to understand

개념 가이드

(A) 부사적 용법의 to부정사구로 [   ]을 나타낸다.
(B) 부사적 용법의 to부정사구로, 형용사인 [   ]를 수식한다.

답 목적, easy

대표 예제 5 ✏️ 고1 3월

다음 우리말과 같도록 괄호 안의 표현을 바르게 배열하여 쓰시오.

> Moinee는 별에서 Tasmania로 떨어져서 죽었다.

(the stars, out of, fell, to, down, Tasmania, Moinee, die, to).

➡️ _____

✦ **개념 가이드**

to부정사의 부사적 용법 중 [   ]를 나타내는 표현은 '[   ]'라고 해석된다.

🔑 결과, 그 결과 ~하다

대표 예제 6

다음 문장의 밑줄 친 부분과 쓰임이 같은 것은?

> So many pedestrians are talking and texting on their cell phones while <u>walking</u> in the streets.

① I sat down at a table <u>talking</u> with my friend.
② In fact, <u>breaking</u> bad habits is not easy.
③ Everyone stopped <u>breathing</u> at that moment.
④ Here is an ant <u>creeping</u> over a pumpkin.
⑤ No one noticed the black cat <u>creeping</u> in.

✦ **개념 가이드**

주어진 문장의 walking은 [   ]을 나타내는 분사구문으로 의미를 명확히 하기 위해 분사 앞에 [   ] while을 써 주었다.

🔑 동시동작, 접속사

대표 예제 7

다음 문장의 밑줄 친 부분과 바꿔 쓸 수 있는 것은?

> Shirley looked outside the window <u>as she was wondering</u> what the birds were trying to say.

① wonder
② wondering
③ wondered
④ was wondering
⑤ having wondered

✦ **개념 가이드**

'접속사 + 주어 + 동사' 형태의 부사절은 [   ]으로 바꿔 쓸 수 있으며, 주어와 동사가 능동 관계이므로, [   ] 형태의 분사구문으로 바꿔야 한다.

🔑 분사구문, 현재분사

대표 예제 8

다음 문장의 빈칸에 알맞은 것은?

> If you make a wrong turn, you can go back to the beginning. It's _____.

① too late to start again
② too early to start again
③ a little late to start again
④ never too late to start again
⑤ not early enough to start again

✦ **개념 가이드**

문맥상 '다시 시작하기에 결코 늦지 않은'이라는 말이 와야 자연스러우므로, 'never + [   ] + 형용사/부사 + [   ]'의 형태가 되어야 한다.

🔑 too, to부정사

그는 점점 나이 들어 가고 있다.
He's getting on in years.
진행형

나는 막 점심을 먹었다.
I've just finished lunch.
완료

Jane은 소설을 써 오고 있다.
Jane **has been writing** a novel.
완료진행형

쥐는 고양이에게 잡혔다.
Mice **were caught** by cats.
수동태

경비원에 의해 두 남자가 은행으로 들어가는 것이 보였다.
Two men **were seen to enter** the bank by the guard.
지각동사의 수동태

Quiz

다음 밑줄 친 부분이 어법상 맞으면 ○, 틀리면 ×를 쓰시오.

1 The child was called Red Riding Hood by everybody. (   )

2 I have been growing a cherry tree for two months. (   )

답 1 ○ 2 ○

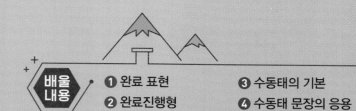
단어 미리 보기

check~

- [ ] **artificial intelligence(AI)** 인공 지능(AI)
- [ ] **ground** *n.* 땅, 지반
- [ ] **annually** *ad.* 연간으로
- [ ] **struggle** *v.* 고군분투하다
- [ ] **heavy rain** 폭우
- [ ] **millennium** *n.* 천 년, 밀레니엄
- [ ] **global** *a.* 세계적인, 전 세계의

  global

- [ ] **competition** *n.* 경쟁
- [ ] **acknowledge** *v.* 인정하다

  acknowledge

- [ ] **evolve** *v.* 진화하다
- [ ] **infrared radiation** 적외선
- [ ] **translate** *v.* 번역하다

  translate

- [ ] **gland** *n.* 분비선
- [ ] **bloodstream** *n.* 혈류, 혈액 순환
- [ ] **to date** 지금까지
- [ ] **undertake** *v.* 착수하다
- [ ] **underwater** *a.* 수중의
- [ ] **registration** *n.* 등록
- [ ] **carry out** 진행하다, 실시하다
- [ ] **technology** *n.* 기술
- [ ] **turn out** ～이 밝혀지다
- [ ] **shelter** *n.* 주거지, 보호소
- [ ] **genetic engineering** 유전 공학
- [ ] **resistant** *a.* 저항력 있는, ～에 강한
- [ ] **expose** *v.* 노출시키다

  expose

- [ ] **popularity** *n.* 인기

개념 1 완료 표현

- **현재완료**: 'have〔has〕+ [❶ ⬚]' 형태로 현재까지의 **완료**(막 ~했다), **경험**(~한 적이 있다), **계속**(~해 왔다), **결과**(~해 버렸다)를 나타낸다.
- **과거완료**: 'had + 과거분사' 형태로 과거의 특정 시점까지의 완료, 경험, 계속, 결과, 또는 과거의 특정 시점보다 [❷ ⬚] 일어난 일을 나타낸다.

Artificial Intelligence **has arrived** in the workplace.

인공지능이 작업장에 [❸ ⬚].

He was reading the book I **had bought** for him.

그는 내가 그에게 [❹ ⬚] 책을 읽고 있었다.

• 현재완료와 자주 쓰이는 표현

완료	already (이미) just(막), yet(아직)
경험	ever, never
계속	for(~동안) since(~ 이후로)
결과	have lost(잃어버리다) have gone(가 버리다)

❶ 과거분사

❷ 이전에

❸ 도착했다

❹ 사주었던

개념 2 완료진행형

- **진행형**: 'be동사 + [❺ ⬚](V-ing)' 형태로 현재, 과거, 미래의 특정 시점에 진행 중인 동작을 나타낸다.
- 주어와 시제에 따라 [❻ ⬚]의 형태가 달라진다.
- **완료진행형**: 'have〔has〕/had + been + 현재분사' 형태로 현재, 과거, 미래의 특정 시점에 진행 중인 동작(~하고 있다) 또는 그 시점까지 계속되는 동작을 나타낸다.

현재완료진행형	have〔has〕been + 현재분사
과거완료진행형	had been + 현재분사
미래완료진행형	will〔shall〕have been + 현재분사

• 진행형의 종류

현재 진행형	am/is/are + 현재분사
과거 진행형	was/were + 현재분사
미래 진행형	will be + 현재분사

❺ 현재분사

❻ be동사

In West Jakarta, the ground **is sinking** by about 15cm annually.

West Jakarta에서는 지반이 연간 15cm 정도까지 [❼ ⬚].

The Williams **have been living**〔have lived〕in Oxford for six years.

William 일가는 옥스포드에서 6년째 [❽ ⬚].

You **will have been studying** English for five years by next March.

다음 3월로 너는 영어를 5년 동안 공부한 셈이 될 것이다.

❼ 내려앉고 있다

❽ 살아오고 있다

3일

1 다음 문장에서 진행 또는 완료 표현을 찾아 밑줄을 긋고, 우리말의 빈칸을 완성하시오.

(1) The dog was struggling in the heavy rain that swept the area.

➡ 그 개는 그 지역을 휩쓴 폭우 속에서 _____ .

> struggle 고군분투하다
> heavy rain 폭우

(2) She will be working with us for the next two months.

➡ 그녀는 다음 두 달간 _____ .

(3) Since the new millennium, businesses have experienced more global competition. ✎고1 6월 응용

➡ 뉴 밀레니엄 시대 이후, 기업들은 _____ .

> millennium 천 년, 밀레니엄
> global 세계적인, 전 세계의
> competition 경쟁

(4) Grace forgot that her brother had borrowed her car.

➡ Grace는 남동생이 _____ 잊었다.

2 다음 우리말에 알맞은 영어 문장을 고르시오.

(1) 더 많은 나라들이 자연의 권리를 인정하고 있다. ✎고1 9월 응용

☐ More countries are acknowledging nature's rights.

☐ More countries had acknowledged nature's rights.

> acknowledge 인정하다

(2) 인간은 수백만 년에 걸쳐 진화해 왔다.

☐ Human beings are evolving over millions of years.

☐ Human beings have evolved over millions of years.

> evolve 진화하다

(3) 결국, 그는 그가 잃어버렸던 그림을 찾지 못했다.

☐ In the end, he couldn't find the painting he has lost.

☐ In the end, he couldn't find the painting he had lost.

3일 구문 핵심 정리 ❷

개념 3 수동태의 기본

- 목적어를 필요로 하는 ❶ [＿＿＿]만 수동태인 'be동사 + 과거분사 (+ by + 행위자)'로 쓸 수 있다. 수동태는 동작에 영향을 받는 대상이 ❷ [＿＿＿]가 된다.
- '~되다/받다'라고 해석되며, 주어와 시제에 따라 be동사의 형태가 달라진다.

Infrared radiation **is produced by** the sun. 적외선은 태양에 의해 ❸ [＿＿＿].
(= The sun produces infrared radiation.)
Radon and X-rays **were discovered by** Marie Curie.
(= Marie Curie discovered radon and X-rays.)
라돈과 엑스레이는 마리 퀴리에 의해 ❹ [＿＿＿].

• by 이외의 전치사를 쓰는 수동태

be known for	~으로 유명하다 (특징, 성격)
be known as	~로 알려져 있다(신분)
be known to	~에게 알려지다
be covered with	~로 덮여 있다
be satisfied with	~에 만족하다

❶ 타동사
❷ 주어
❸ 생성된다
❹ 발견되었다

개념 4 수동태 문장의 응용

- 진행 수동태: 'be동사 + being + 과거분사' (~되고 있다)
- 완료 수동태: 'have[has]/had + ❺ [＿＿＿] + 과거분사' (~되어 왔다)
- 4형식 문장의 수동태

4형식 문장	주어 + 동사 + 간접목적어(IO) + 직접목적어(DO)
간접목적어가 주어가 될 때	주어(IO) + be동사 + 과거분사 + DO + by + 행위자
직접목적어가 주어가 될 때	주어(DO) + be동사 + 과거분사 + 전치사 + IO + by + 행위자

- 지각동사 / 사역동사의 목적격보어로 동사원형이 쓰인 경우, 수동태 문장에서는 ❻ [＿＿＿]로 바꿔 쓴다.

My favorite music **is being played** on the radio now.
내가 가장 좋아하는 음악이 지금 라디오에서 ❼ [＿＿＿].
The book **has been translated** into several languages. 그 책은 여러 언어로 번역되어 왔다.
My uncle **sent** me a toy car. 삼촌은 내게 장난감 자동차를 보내셨다.
→ A toy car **was sent to** me by my uncle.
He **was made to clean** his room by his mother.
그는 그의 어머니에 의해 방을 ❽ [＿＿＿] 되었다.

- 조동사의 수동태: 조동사 + be + 과거분사
- 사역동사 let과 have는 수동태로 쓰지 않는다.
- buy, make, cook, bring, send, read, write, choose 등의 동사는 간접목적어를 수동태의 주어로 쓸 수 없다.

❺ been

❻ to부정사

❼ 연주되고 있다

❽ 청소하게

정답과 해설 **67**쪽

3 다음 우리말을 영어로 바꿀 때, 괄호에 주어진 단어를 빈칸에 알맞은 형태로 고쳐 쓰시오.

(1) 호르몬은 분비선에서 혈류로 방출된다.

➡ Hormones _____ (release) from glands into the bloodstream.

| release 방출하다 |
| gland 분비선 |
| bloodstream 혈류, 혈액 순환 |
| pick up 수거하다 |

(2) 신발은 매 격주 화요일에 수거될 것이다.

✎ 고1 9월 응용

➡ Shoes _____ (pick up) on Tuesdays every two weeks.

(3) 지금까지 그 주제에 관한 연구는 거의 이루어지지 않았다.

➡ To date, little research _____ (undertake) on the subject.

| to date 지금까지 |
| undertake 착수하다 |

4 다음 네모에서 알맞은 것을 고른 후, 우리말로 해석하시오.

(1) The first underwater photographs have taken / were taken by an Englishman.

✎ 고1 3월 응용

| underwater 수중의 |

➡ _____

(2) Late registrations will be / are accepted if space is available.

| registration 등록 |

➡ _____

(3) Road repairs are carrying / being carried out on Harbor Road and Bridge Road.

| carry out 진행하다, 실시하다 |

➡ _____

(4) He has been knowing / known as the best guitarist in his country.

➡ _____

대표 예제 1

다음 대화문의 빈칸에 알맞은 것은?

> A Why didn't you answer the phone yesterday?
> B That was because I _____ .

① am skating ② was skating
③ have skated ④ will be skated
⑤ will be skating

개념 가이드

과거 특정 시점(☐☐☐☐☐)에 스케이트를 타는 중이었으므로, ☐☐☐☐☐이 와야 한다.

🅳 yesterday, 과거진행형

대표 예제 2

다음 우리말과 같도록 할 때 빈칸에 공통으로 알맞은 것은?

> Marie는 아무도 직면하지 않았던 문제를 해결해야 했다.
> ➡ Marie _____ to solve a problem that no one _____ ever faced.

① is ② was
③ has ④ had
⑤ will be

개념 가이드

과거 특정 시점(had to solve)의 일보다 ☐☐☐☐ 일어난 일을 표현할 때 ☐☐☐☐ 표현을 쓴다.

🅳 이전에, 과거완료

대표 예제 3

다음 두 문장의 의미가 같도록 할 때 빈칸에 알맞은 것은?

> Anna moved to this town last year and she still lives here.
> ➡ Anna _____ in this town since she moved into this town last year.

① lived ② is living
③ has lived ④ had lived
⑤ will be living

개념 가이드

과거부터 ☐☐☐☐까지 계속된 일을 나타내므로 ☐☐☐☐ 표현을 쓴다.

🅳 현재, 현재완료

대표 예제 4

✏️ 고1 3월

다음 우리말과 같도록 빈칸에 알맞은 말을 쓰시오.

> 다음 주부터, 당신은 마케팅부에서 일하고 있을 것이다.

➡ From next week, you _____ in the Marking Department.

개념 가이드

미래의 특정 시점(☐☐☐☐☐)에 일하고 있을 것이므로, ☐☐☐☐☐이 와야 한다.

🅳 From next week, 미래진행형

3일

대표 예제 5

다음 중 수동태 문장으로 바꿀 수 <u>없는</u> 것은?

① Has technology made us lazier?
② The rumor turned out to be false.
③ A group of politicians will visit us.
④ Dr. Morris founded an animal shelter.
⑤ MI Center conducted a study on language learning.

> ✦ **개념 가이드**
>
> 목적어가 없는 [   ]는 'be동사 + 과거분사' 형태의 [   ]로 바꿔 쓸 수 없다.
>
> 답 자동사, 수동태

대표 예제 6

다음 주어진 문장을 수동태로 바꿀 때, 빈칸에 알맞은 말을 쓰시오.

> Throughout the world, people are using genetic engineering to produce crops that are resistant to insects and disease.

➡ Throughout the world, genetic engineering _____ that are resistant to insects and disease.

> ✦ **개념 가이드**
>
> 현재진행형을 수동태로 바꾸면 현재진행 수동태(is/are + [   ] + 과거분사) 형태가 된다. 수동태 문장에서 주어는 단수이므로 be동사를 [   ]로 바꾼다.
>
> 답 being, is

대표 예제 7

✎ 고1 3월 응용

다음 밑줄 친 부분 중 어법상 <u>어색한</u> 것을 찾아 바르게 고치시오.

> Parents have ① to be aware of ② what their children are ③ exposing to, as their character ④ is being ⑤ formed.

_____ ➡ _____

> ✦ **개념 가이드**
>
> expose는 '[   ]'의 의미로, 문맥상 아이들이 무엇에 '노출되어' 있는지 알아야 한다는 내용이 되어야 하므로, expose의 [   ] 문장이 되어야 한다.
>
> 답 노출시키다, 수동태

대표 예제 8

✎ 고1 6월

다음 우리말과 같도록 할 때 빈칸에 알맞은 것은?

> 그의 작품들은 널리 읽혀 왔고 여전히 큰 인기를 누린다.
> ➡ His works _____ and still enjoy great popularity.

① have widely read
② will be widely read
③ have been widely read
④ are being widely read
⑤ will be widely reading

> ✦ **개념 가이드**
>
> 주어인 [   ]가 '읽혀 왔다'고 했으므로 현재완료 수동태 (have [   ] + 과거분사) 형태로 써야 한다.
>
> 답 His works, been

동사의 바른 해석

4 일

생각 열기

내가 부자라면 생활이 훨씬 편할 텐데.
If I **were** rich, life **would** be a lot easier.
가정법 과거

다리가 부러지지 않았다면 나는 스키장에 갔을 텐데.
If I **had not broken** my leg,
I **would have gone** to the ski resort.
가정법 과거완료

내게 차가 있으면 좋을 텐데.
I wish I **had** a car.
I wish + 가정법 과거

그것은 틀림없이 약간의 실수일 것이다.
That **must be** some mistakes.
must(강한 추측)

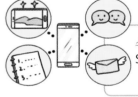

스마트폰은 많은 것을 할 수 있다.
Smartphones **can** do a lot of things.
can(능력)

Quiz

다음 문장에 해당하는 것을 괄호에서 고르시오.

1 If I were you, I would accept his offer. (① 가정법 과거   ② 가정법 과거완료)

2 I wish you had left that unsaid. (① 가정법 과거   ② 가정법 과거완료)

답 **1** ① **2** ②

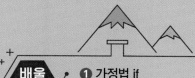

배울 내용

1 가정법 if
2 가정법의 관용 표현
3 can(could), may(might)
4 must(have to), should

단어 미리 보기

check~

- [ ] on time   정각에
- [ ] get fired   해고되다
- [ ] enclose   v. 동봉하다
  enclose
- [ ] planet   n. 행성
  planet
- [ ] watch one's language   말을 조심하다
- [ ] give up   포기하다
- [ ] garment   n. 의류
- [ ] dry-clean   v. 드라이클리닝하다
- [ ] thousands of   수천의
- [ ] register   v. 등록하다
  register
- [ ] protect   v. 보호하다
  protect
- [ ] silence   n. 침묵
  silence

- [ ] consent   n. 찬성, 만족
  consent
- [ ] regular   a. 규칙적인
- [ ] immunity-booster   n. 면역력 촉진제
- [ ] physics   n. 물리
- [ ] invisible   a. 보이지 않는
  invisible
- [ ] manipulate   v. 조종하다
- [ ] complete   v. 완성하다, 채우다
- [ ] entire   a. 전체의
- [ ] politely   ad. 정중하게
- [ ] permission   n. 허락
  permissio
- [ ] laptop   n. 휴대용 컴퓨터
- [ ] responsible   a. 책임이 있는
- [ ] exhibit   v. 보이다, 드러내다
  exhibit

개념 1 가정법 if

- **가정법 과거**: 현재 사실을 반대로 가정할 때 쓴다.
- **가정법 과거완료**: 과거 사실을 반대로 가정할 때 쓴다.
- **혼합가정법**: 주절과 종속절의 시제가 일치하지 않는 경우를 말하며, 과거에 실현되지 못한 일이 현재까지 영향을 줄 때 사용한다.

	의미	형태
가정법 과거	만약 ~한다면, …할 텐데	If + 주어 + ❶ [ ] ~, 주어 + 조동사의 과거형 + 동사원형 ….
가정법 과거완료	만약 ~했다면, …했을 텐데	If + 주어 + ❷ [ ] ~, 주어 + 조동사의 과거형 + have + 과거분사 ….
혼합 가정법	만약 ~했더라면, …할 텐데	If + 주어 + had + 과거분사 ~, 주어 + 조동사의 과거형 + 동사원형 ….

If I **were** you, I **wouldn't** argue with him. 만약 내가 ❸ [   ], 나는 그와 다투지 않을 텐데.

If you **hadn't woken** up early, you **might have missed** the exam.

만약 네가 일찍 일어나지 않았다면, 너는 시험을 ❹ [   ].

If he **had studied** harder, he **wouldn't** be here now.

만약 그가 더 열심히 공부했다면, 그는 지금 여기 있지 않을 거야.

- 가정법 현재(If + 주어 + 동사의 현재형 ~, 주어 + will + 동사원형 …)는 현재 상황에 따라 실현 가능한 일을 가정한다.

❶ 동사의 과거형

❷ had + 과거분사

❸ 너라면

❹ 놓쳤을지도 모른다

개념 2 가정법의 관용 표현

- **If** + 주어 + should/were to + 동사원형, ~: 미래에 실현 가능성이 희박한 가정
- **I wish** + 가정법 과거: ❺ [   ]의 실현 불가능한 소망
- **I wish** + 가정법 과거완료: 과거 사실에 반대되는 소망
- **Without** + 가정법 과거 = If it were not for ~(❻ [   ])
- **Without** + 가정법 과거완료 = If it had not been for ~(~이 없었다면)

If you **should** have any trouble, please let me know.

혹시라도 문제가 ❼ [   ], 저에게 알려주세요.

I wish you **would** get there on time. 네가 그곳에 제시간에 ❽ [   ].

Without her advice, he **would have given** up. 그녀의 충고가 없었다면, 그는 포기했을 것이다.

- as if(as though) + 가정법 과거: 마치 ~인 것처럼
- as if(as though) + 가정법 과거완료: 마치 ~였던 것처럼

❺ 현재

❻ ~이 없다면

❼ 생긴다면

❽ 도착하면 좋을 텐데

1 다음 문장이 현재, 과거, 미래 중 무엇을 가정하는지 쓰고, 우리말의 빈칸에 알맞은 말을 쓰시오.

(1) If I knew what he wanted, I wouldn't worry. ☐

  ➡ _____, 나는 걱정하지 않을 텐데.

get fired 해고되다

(2) If you hadn't answered the question, you might have failed the test.

  ➡ _____, 너는 시험에 떨어졌을지도 모른다. ☐

(3) If you should get fired tomorrow, how would you feel? ☐

  ➡ _____, 너는 어떤 기분일까?

(4) I wish someone had found your note. ☐

  ➡ _____ 좋았을 텐데.

2 다음 우리말과 같도록 괄호 안의 단어를 빈칸에 알맞은 형태로 고쳐 쓰시오.

(1) 그 수표가 동봉되었다면, 그들은 그렇게 빨리 답장을 보냈을까?

  ➡ If the check _____ (be) enclosed, would they

  _____ (respond) so quickly? ✐ 고1 3월

enclose 동봉하다

(2) 만약 우리가 아무것도 변하지 않는 행성에서 산다면, 할 일이 거의 없을 것이다.

  ➡ If we _____ (live) on a planet where nothing ever

  changed, there _____ (be) little to do. ✐ 고1 6월

planet 행성

(3) 혹시라도 그가 너에게 또 다른 기회를 준다면, 말을 조심해라.

  ➡ If he _____ (give) you another chance, watch your

  language.

watch one's language 말을 조심하다

(4) 만약 당신이 그 꿈을 포기했다면, 지금 무엇을 하고 있을까요?

  ➡ If you _____ (give) up on that dream, what would you be

  doing now?

give up 포기하다

개념 3   can(could), may(might)

- **can**: ~할 수 있다(능력·가능), ~해도 된다(허가), ~일지도 모른다(추측)
  - ※ could는 can의 **❶ [   ]** 또는 can보다 정중한 부탁이나 추측을 나타낸다.
- **may**: ~일지도 모른다(약한 추측), ~해도 된다(**❷ [   ]**)
  - ※ might는 may의 과거형 또는 may보다 불확실한 추측을 나타낸다.

● can이 능력을 나타낼 때 be able to와 바꿔 쓸 수 있다.

❶ 과거형

❷ 허가

I believe I **can[am able to]** achieve my goal. (능력)
나는 내 목표를 **❸ [   ]** 믿는다.

❸ 이룰 수 있다고

May I come in? (허가)
제가 안에 **❹ [   ]** ?

❹ 들어가도 될까요

It **may** sound strange, but it's true. 그것은 이상하게 들릴지도 모르지만 사실이다.

개념 4   must(have to), should

- **must**: ~해야 한다(의무, have to와 바꿔 쓸 수 있다.) **❺ [   ]** (강한 추측)
- **must not[mustn't]**: ~해서는 안 된다(금지)
  - *cf.* don't have to: ~할 필요가 없다
- **should**: ~해야 한다(**❻ [   ]**), ~하는 것이 좋다(충고·제안)
  - ※ should는 must보다 약한 의미로, ought to로 바꿔 쓸 수 있다.

● have to: 의무를 나타낼 때 must에 비해 의미가 약하다.

❺ ~임에 틀림없다

❻ 의무

You **must[have to]** wait outside. (의무)
당신은 밖에서 **❼ [   ]** 합니다.

This garment **must** be dry-cleaned only. (강한 추측)
이 의류는 반드시 드라이클리닝을 해야 한다.

You **shouldn't** run around in the restaurant.
식당에서 **❽ [   ]** 안 됩니다.

❼ 기다리셔야

❽ 뛰어다니면

3 다음 우리말을 참고하여 빈칸에 must 또는 can을 써서 문장을 완성하시오.

(1) 그 여정은 수천 년이 걸릴 수 있다.

➡ That trip _____ take thousands of years.　　🖉 고1 3월 응용

thousands of 수천의

(2) 모든 참가자는 경주일 전에 온라인으로 등록해야 합니다.

➡ All participants _____ register online before race day.

register 등록하다

(3) 여기 지구를 보호하기 위해 여러분이 할 수 있는 10가지 간단한 일이 있습니다.

➡ Here are ten simple things you _____ do to protect the Earth.

protect 보호하다

(4) 침묵을 항상 찬성으로 이해해서는 안 된다.

➡ Silence _____ not always be read as consent.

silence 침묵
consent 찬성, 만족

4 다음 주어진 문장과 의미가 유사한 것을 고르시오.

(1) Regular exercise may be the immunity-booster.　　🖉 고1 9월 응용

☐ Regular exercise can be the immunity-booster.

☐ Regular exercise must be the immunity-booster.

regular 규칙적인
immunity-booster 면역력
촉진제

(2) You mustn't pick the flowers.

☐ You don't have to pick the flowers.

☐ You are not permitted to pick the flowers.

(3) You should consider a few things before buying a car.

☐ You may consider a few things before buying a car.

☐ You ought to consider a few things before buying a car.

4일 적중 예상 베스트

대표 예제 1

다음 중 가정법에 해당하지 <u>않는</u> 문장은?

① Malcolm talks as if he liked physics.
② I wish I could be invisible for one day.
③ I can tell if someone is manipulating me.
④ I would go shopping with you if I had time.
⑤ If you could design a planet, what would it look like?

개념 가이드

목적절로 쓰인 접속사 if절과 가정법의 if절을 구분해야 한다. ③에서 if절은 주절의 동사 [   ] 의 목적어 역할을 하므로, [   ] 문장이 아니다.

답 tell, 가정법

대표 예제 2

다음 우리말과 같도록 할 때 빈칸에 알맞은 것은?

Mark가 그 그림을 완성했다면, 그는 지금 세계적으로 인정받고 있을 텐데.

➡ If Mark _____ the painting, he would now be recognized worldwide.

① completes
② was completed
③ has completed
④ had completed
⑤ could complete

개념 가이드

과거 사실에 반대되는 가정의 결과가 [   ] 에 영향을 미치는 상황이므로 혼합가정법(If + 주어 + [   ], 주어 + 조동사의 과거형+동사원형 …)을 쓴다.

답 현재, had + 과거분사

대표 예제 3

다음 문장의 빈칸에 알맞은 것은?

I am sorry that I didn't learn to swim. I wish I _____ to swim.

① learn
② learning
③ learned
④ had learned
⑤ has learned

개념 가이드

수영을 배우지 못한 것에 대해 유감을 가지고, [   ] 를 반대로 가정하는 상황이므로, 'I wish + 가정법 [   ]' 형태가 되어야 한다.

답 과거, 과거완료

대표 예제 4

✏ 고1 6월

다음 주어진 상황을 반대로 가정하는 문장을 완성하시오.

As the decision to get out of the building was made, the entire team wasn't killed.

➡ If the decision to get out of the building hadn't been made, _____
_____.

개념 가이드

과거 상황을 반대로 가정하므로, 'If + 주어 + [   ], 주어 + 조동사의 과거형 + [   ] …'의 형태가 되어야 한다.

답 had + 과거분사, have + 과거분사

4일

대표 예제 5

다음 대화문의 빈칸에 가장 알맞은 것은?

> A Are you sure Daniel is busy now?
> B Sure. He _____ be busy. That's why he doesn't answer the phone.

① might   ② must

③ shouldn't   ④ cannot

⑤ ought to

개념 가이드

강한 [   ]을 나타낼 때, 조동사 [   ]를 쓸 수 있다.

답 추측, must

대표 예제 6

다음 상황을 읽고, 빈칸에 알맞은 문장을 쓰시오. (may를 이용할 것)

> When you politely ask your boss for permission to use his or her laptop, you can ask, "_____"

➡ _____

개념 가이드

정중하게 [   ]을 구하는 상황이므로, '[   ] I + 동사원형 ~?'으로 표현할 수 있다.

답 허락, May

대표 예제 7

다음 우리말과 같도록 괄호 안의 단어 중 세 개를 골라 빈칸에 알맞은 말을 쓰시오.

> 부모는 자녀의 행동에 대해 책임을 져야 한다.

(might, should, be, take, responsible)

➡ Parents _____ for their children's behavior.

개념 가이드

'~해야 한다'라는 의미의 [   ]를 나타내므로 조동사 [   ]를 사용한다.

답 의무, should

대표 예제 8

✏ 고1 3월

다음 두 문장의 의미가 같도록 할 때 빈칸에 알맞은 조동사는?

> It is possible that different cultures exhibit opposite attitudes toward a given species.
> = Different cultures _____ exhibit opposite attitudes toward a given species.

① can   ② shall

③ must   ④ should

⑤ cannot

개념 가이드

'~할 수 있다'라는 의미의 [   ]을 나타낼 때 조동사 [   ]을 쓸 수 있다.

답 가능성, can

5_일 접속사의 이해

나는 Michael이 여기 있다는 것을 안다.
I know **(that)** Michael is here.
접속사 that

누가 내 돈을 가져갔는지 알고 싶다.
I want to know **who** took my money.
의문사가 이끄는 접속사

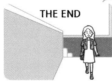

THE END

접속사 when
When the movie is over, I'm going straight home.
영화가 끝나면 곧장 집으로 갈 거예요.

접속사 so... that
The moonlight was **so** bright
that we didn't need a flashlight.
달빛이 너무 밝아서 우리는 손전등이 필요 없었다.

접속사 because
I don't like her **because** she is conservative.
그녀는 보수적이기 때문에 나는 그녀를 좋아하지 않는다.

Quiz

밑줄 친 부분에 해당하는 것을 괄호에서 고르시오.

1 Price is what you pay. Value is what you get. (① 접속사   ② 관계대명사)

2 You must come here and see what happened. (① 접속사   ② 관계대명사)

답 1 ② 2 ①

배울 내용

❶ 명사절을 이끄는 접속사
   that, if, whether
❷ 의문사가 이끄는 명사절
❸ 시간, 조건, 목적의 부사절을 이끄는 접속사
❹ 이유, 양보, 대조, 결과의 부사절을 이끄는 접속사

단어 미리 보기

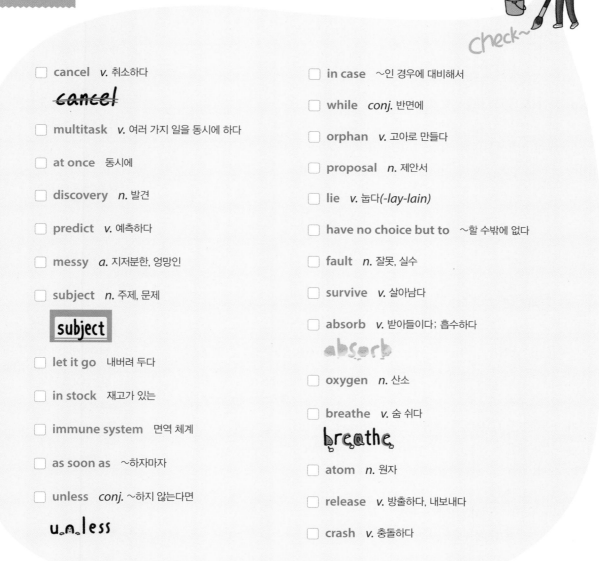

- ☐ **cancel**   *v.* 취소하다
  cancel

- ☐ **multitask**   *v.* 여러 가지 일을 동시에 하다

- ☐ **at once**   동시에

- ☐ **discovery**   *n.* 발견

- ☐ **predict**   *v.* 예측하다

- ☐ **messy**   *a.* 지저분한, 엉망인

- ☐ **subject**   *n.* 주제, 문제
  subject

- ☐ **let it go**   내버려 두다

- ☐ **in stock**   재고가 있는

- ☐ **immune system**   면역 체계

- ☐ **as soon as**   ~하자마자

- ☐ **unless**   *conj.* ~하지 않는다면
  u_n_less

- ☐ **in case**   ~인 경우에 대비해서

- ☐ **while**   *conj.* 반면에

- ☐ **orphan**   *v.* 고아로 만들다

- ☐ **proposal**   *n.* 제안서

- ☐ **lie**   *v.* 눕다*(-lay-lain)*

- ☐ **have no choice but to**   ~할 수밖에 없다

- ☐ **fault**   *n.* 잘못, 실수

- ☐ **survive**   *v.* 살아남다

- ☐ **absorb**   *v.* 받아들이다; 흡수하다
  absorb

- ☐ **oxygen**   *n.* 산소

- ☐ **breathe**   *v.* 숨 쉬다
  breathe

- ☐ **atom**   *n.* 원자

- ☐ **release**   *v.* 방출하다, 내보내다

- ☐ **crash**   *v.* 충돌하다

5일 구문 핵심 정리 ①

개념 1 명사절을 이끄는 접속사 that, if, whether

- 명사절은 주어, 목적어, 보어 역할을 할 수 있다.
- that + 주어 + 동사 ~: 주어, 목적어, 보어 외에 동격 역할도 할 수 있고, ❶ [   ]
  역할을 할 때 that은 생략할 수 있다.
- if〔whether(+ or not)〕+ 주어 + 동사 ~: '❷ [   ]'라는 뜻의 명사절이다.

that + 주어 + 동사	주어, 보어, 목적어 역할
if / whether + 주어 + 동사	의문사가 없는 경우

- that, if, whether가 이끄는 명사절은 완전한 문장을 이룬다.
- 선행사를 포함한 관계대명사 what도 명사절을 이끌 수 있고, 이 때 what 뒤에는 불완전한 문장이 온다.

❶ 목적어

❷ ~인지 아닌지

Do you know **(that)** he invented this device? (목적어절)

그가 이 기기를 ❸ [   ] 알고 있니?

❸ 발명했다는 것을

It is not clear **whether**〔**if**〕the meeting will be cancelled. (주어절)

= **Whether** the meeting will be cancelled is not clear.

회의가 ❹ [   ] 확실하지 않다.

❹ 취소될지 아닐지는

명사절 주어 뒤에는
단수동사를 써요!

Tip

개념 2 의문사가 이끄는 명사절

- 의문사(what, who, when, where, why, how)가 이끄는 명사절은
  '❺ [   ] + 주어 + 동사'의 어순이 된다.
- 의문사가 명사절에서 ❻ [   ] 역할을 하는 경우 '의문사 + 동사'의 형태가 된다.
- 의문사가 있는 간접의문문에서 주절의 동사가 think, believe, guess, imagine, suppose 등일 때에는 '의문사 + do you think〔believe ...〕+ 주어 + 동사 ...?' 의 형태로 쓴다.

- what, who + 불완전한 문장
  when, where, why, how + 완전한 문장

❺ 의문사

❻ 주어

Ann asked him **what** made him upset.

Ann은 그에게 ❼ [   ] 그를 화나게 만들었는지 물었다.

❼ 무엇이

My question is **when** you feel nervous.

내 질문은 네가 ❽ [   ] 초조하게 느끼는가하는 점이다.

❽ 언제

When do you guess he will come back?

너는 그가 언제 돌아올 것이라고 추측하니?

5일

1 다음 문장에서 명사절을 찾아 밑줄을 긋고 주어(S), 목적어(O), 보어(C) 중 어떤 역할을 하는지 표시한 후, 우리말을 완성하시오.

✎ 고1 3월 응용

(1) It may be true that you can multitask at once.

➡ _____ 사실일지도 모른다.

> multitask 여러 가지 일을 동시에 하다
> at once 동시에

(2) I can't decide whether I should buy this coat.

➡ 나는 _____ 결정할 수 없다.

(3) The new discovery was what no one had predicted.

➡ 그 새로운 발견은 _____ 이었다.

> discovery 발견
> predict 예측하다

2 다음 우리말과 같도록 빈칸에 알맞은 접속사를 쓰시오.

(1) 내가 어질러진 방에서 지내는 것을 좋아하는지 아닌지는 다른 문제였다.

✎ 고1 6월 응용

➡ _____ I liked living in a messy room or not was another subject.

> messy 지저분한, 엉망인
> subject 주제, 문제

(2) 일어난 일을 받아들이고 그냥 내버려 두도록 해라.

➡ Try to accept _____ happened and let it go.

> let it go 내버려 두다

(3) 저희는 이 물건이 언제 다시 입고될지 모릅니다.

➡ We don't know _____ this item will be back in stock.

> in stock 재고가 있는

(4) 우리의 면역 체계가 스트레스에 반응한다는 것이 사실인가요?

➡ Is it true _____ our immune system responds to stress?

> immune system 면역 체계

5일 구문 핵심 정리 ❷

개념 3 **시간, 조건, 목적의 부사절을 이끄는 접속사**

시간	when	~할 때	조건	if	만약 ~라면
	while	~하는 동안		unless	❷
	until	~할 때까지		in case	~인 경우에 대비해서
	as	~하면서		so that	~하기 위해
	since	~한 이후로	목적	in order that	~하기 위해
	as soon as	❶			
	after / before	~한 후에 / ~하기 전에			

- since(~한 이후로)는 주로 현재완료시제와 함께 사용된다.
- 시간이나 조건의 부사절에서 현재시제는 미래를 나타낸다.

❶ ~하자마자
❷ ~하지 않는다면

I'll wait for you **until** you come home. 네가 집에 ❸ [　] 너를 기다릴게.

❸ 올 때까지

Why don't you take a walk with me **unless** you're tired?
피곤하지 않으면 나와 함께 산책 가는 게 어때?

He got up early **so that** he wouldn't miss the train.
그는 기차를 ❹ [　] 일찍 일어났다.

❹ 놓치지 않도록 (놓치지 않기 위해)

개념 4 **이유, 양보·대조, 결과의 부사절을 이끄는 접속사**

이유	because	~ 때문에	양보	though	
	as			although	❺ , ~에도 불구하고
	since			even though	
대조	while	반면에			
	so	그래서			
결과	so + ❻ + that	매우 ~해서 …하다			
	so ~ that … can / can't	매우 ~해서 …할 수 있다 / 없다			

- 매우 ~하여 …하다:
  so + 형용사/부사 + that ~
  = such + a(n) + (형용사) + 명사 + that ~

❺ 비록 ~일지라도

❻ 형용사/부사

Although the soccer team lost the game, they were not disappointed.
그 축구팀은 경기에서 ❼ [　] 실망하지 않았다.

❼ 졌지만

The book was **so** interesting **that** I couldn't stop reading it.
그 책은 ❽ [　] 나는 그것을 읽는 것을 멈출 수 없었다.

❽ 너무 재미있어서

5일

3 다음 우리말과 같도록 네모에서 알맞은 것을 고르시오.

(1) Mary가 방에서 그 인형을 산책시키는 동안, 그녀의 시선이 책 한 권으로 향했다.

✍고1 3월 응용

➡ [While / Since] Mary walked the doll around the room, her eyes fell upon a book.

(2) 고아가 된 후에, Anton Romberg가 그를 돌보았다.

✍고1 3월 응용

➡ [Before / After] he was orphaned, Anton Romberg took care of him.

orphan 고아로 만들다

(3) 이 제안서가 거절될 경우에 대비해서 다른 계획도 준비해 두어라.

➡ Prepare other plans [unless / in case] this proposal is rejected.

proposal 제안서

4 의미가 자연스럽게 통하도록 다음 두 부분을 연결한 후, 우리말로 해석하시오.

(1) I can't understand what he says ⓐ as soon as I lay on the bed.

(2) She was so hungry ⓑ because he speaks too fast.

(3) I had no choice but to fall asleep ⓒ that she ate all the food.

(4) Take an umbrella ⓓ unless you want to get wet.

lie 눕다 (-lay-lain)

have no choice but to
~할 수 밖에 없다
wet 젖은

(1) ➡ _____

(2) ➡ _____

(3) ➡ _____

(4) ➡ _____

대표 예제 1

다음 밑줄 친 부분 중 어법상 어색한 것은?

① Don't forget the fact that I trust you.
② That happened to him was not his fault.
③ The doctor will ask you how you feel.
④ Whether they could survive is important.
⑤ The little girl wondered why the sky is blue.

개념 가이드

'~한 것'이라는 의미로, [   ] 구조의 명사절 주어를 이끌고 있으므로, [   ]을 써야 한다.

답 불완전한, what

대표 예제 3

✏ 고1 9월 응용

다음 문장을 It으로 시작하는 문장으로 바꿔 쓰시오.

> That they will absorb the wrong lesson is possible.

➡ It _____.

개념 가이드

that이 이끄는 명사절 주어 대신 가주어 [   ]을 문장 앞에 쓰고, [   ]인 that절은 문장 뒤로 보낼 수 있다.

답 It, 진주어

대표 예제 2

다음 밑줄 친 문장에서 주어와 동사를 찾아 쓰시오.

> Anger is not wrong or bad. How anger is expressed is the key.

• 주어: _____

• 동사: _____

개념 가이드

의문사 [   ]가 이끄는 명사절이 주어이고, [   ]가 문장의 동사이다.

답 How, is

대표 예제 4

다음 두 문장의 빈칸에 공통으로 알맞은 것은?

(1) Do you know _____ it means to do our best?
(2) Once we have found _____ we are looking for, how do we keep it?

① how   ② when
③ that   ④ what
⑤ whether

개념 가이드

(1) know의 [   ] 역할을 하는 간접의문문으로, 문맥상 '무엇을'을 의미하는 what이 와야 한다.
(2) found의 목적어 역할을 하는 명사절로 '~하는 것'을 의미하는 [   ](what + S + V)이 와야 한다.

답 목적어, 관계대명사절

대표 예제 **5**

고1 9월 응용

다음 두 문장을 주어진 우리말과 같도록 한 문장으로 바꿔 쓰시오. (단, 적절한 접속사를 사용할 것)

> Some bacteria produce oxygen.
> We can breathe on Earth.

> 어떤 박테리아는 우리가 지구에서 숨 쉴 수 있도록 산소를 만들어 낸다.
> ➡ _____
> _____

개념 가이드

'~할 수 있도록'이라는 의미의 [ ]을 이끄는 접속사는 [ ]이다.

답 부사절, so(in orer) that

대표 예제 **7**

고1 6월 응용

다음 두 문장의 의미가 같도록 할 때 빈칸에 알맞은 것은?

> If I don't help the young boy, he'll be in big trouble.
> = _____ I help the young boy, he'll be in big trouble.

① Until　　　　② Unless
③ While　　　　④ Although
⑤ Because

개념 가이드

If ~ not은 '[ ]'이라는 의미로, [ ]와 바꿔 쓸 수 있다.

답 ~하지 않으면, Unless

대표 예제 **6**

우리말과 같도록 할 때 괄호 안의 접속사의 위치로 가장 알맞은 곳은?

> 나무가 산소 원자를 다시 공기 중으로 방출하기 때문에 우리가 숨을 쉴 수 있다.

➡ (①) We can breathe (②) the tree releases (③) the oxygen atoms (④) back into the air ⑤). (because)

개념 가이드

because는 '[ ]'라는 의미로, [ ]의 맨 앞에 위치해야 한다.

답 ~ 때문에, 부사절

대표 예제 **8**

다음 밑줄 친 when의 쓰임이 나머지와 다른 것은?

① What happens to your body when you cycle?
② We'll discuss what happens to cars when they crash.
③ I was sleeping when my friend appeared on my doorstep.
④ Will I use anything I learn in high school when I'm working?
⑤ Do you know when Brenda returned from the party last night?

개념 가이드

'언제'라는 의미의 [ ] when이 이끄는 명사절이 동사의 [ ] 역할을 하는 것을 찾으면 된다. 나머지는 부사절을 이끄는 접속사로 쓰였다.

답 의문사, 목적어

1 우리말과 같도록 빈칸에 알맞은 말을 __모두__ 고르시오.

> Richard는 그의 학생들에게 그가 자신의 문제를 해결한 방법을 말해 주었다.
> ➡ Richard told his students _____ he solved his own problems.

① how ② why ③ where
④ the way ⑤ the reason

2 다음 문장에서 밑줄 친 단어를 꾸며 주는 표현을 찾아 쓰시오.

> We all have tough experiences that affect our moods, but there are also <u>things</u> we can control.

➡ _____

3 다음 두 문장을 관계부사를 이용하여 한 문장으로 바꿀 때 빈칸에 알맞은 말을 쓰시오.

> The waiter guided us to a table.
> All the food was prepared on it.

➡ The waiter _____
_____ .

4 다음 밑줄 친 부분과 바꿔 쓸 수 있는 것은?

> <u>To develop</u> students' comprehension, teachers need to ask questions that cause them to read a complex text.

① Having developed
② By developing
③ Developed
④ After developing
⑤ In order to develop

5 다음 문장에서 어법상 어색한 것을 찾아 바르게 고치시오.

> Changes have made in manufacturing methods for centuries.

_____ ➡ _____

✎ 고1 3월

6 다음 우리말과 같도록 괄호 안의 단어를 바르게 배열하여 쓰시오.

> 외로운 사람은 다른 사람을 돕는 것으로 이득을 볼 수 있을지도 모른다.

(might, who, from, someone, lonely, is, helping, benefit, others).

➡ _____
_____

7 다음 두 문장을 한 문장으로 바꿀 때, 빈칸에 알맞은 것은?

We stick to the same routine.
At the same time, we repeat the same unsuccessful strategies over and over.
➡ We stick to the same routine, _____ the same unsuccessful strategies over and over.

① repeat
② repeated
③ repeating
④ to repeat
⑤ being repeated

8 다음 우리말을 영어로 바르게 표현한 것은?

우리는 100명의 손님을 수용할 만큼 충분히 큰 홀이 필요하다.
➡ We need a hall _____.

① too large to accommodate 100 guests
② to accommodate 100 guests too large
③ enough large to accommodate 100 guests
④ large enough to accommodate 100 guests
⑤ to accommodate 100 guests large enough

고1 6월응용

9 다음 글의 밑줄 친 (A), (B)를 알맞은 형태로 고쳐 쓰시오.

Erda lay on her back in a clearing, (A) <u>watch</u> drops of sunlight slide through the leaves above her. She slowly turned over and pushed her face into the grass, (B) <u>smell</u> the green pleasant scent from the fresh wild flowers. She felt all her concerns had gone away.

*clearing 개간지

(A) _____
(B) _____

고1 3월응용

10 다음 글을 읽고, 질문에 대한 답을 완성하시오.

Dear Ms. Sue Jones,
  It is our company's policy that all new employees must gain experience in all departments. As you have completed your three months in the Sales Department, it's time to move on to your next department. From next week, you will be working in the Marketing Department.

Q: What will Ms. Sue Jones be doing from next week?
A: She _____.

1 다음 밑줄 친 동사를 알맞은 형태로 고치시오.

> I didn't know that you were in hospital.
> If I <u>know</u> it, I would have visited you.

➡ _____

2 다음 글에서 어법상 <u>어색한</u> 것을 찾아 바르게 고치시오.

> A group of students asked to say which animal they would like most to have as a pet. The largest number of students chose dogs or cats.

_____ ➡ _____

3 다음 질문에 대한 응답을 괄호 안의 단어를 활용하여 완성하시오.

> Q: Suppose you're a billionaire. What do you want to do?
> A: If I _____(be) a billionaire, I _____ _____(establish) a university in my hometown.

4 다음 우리말과 같도록 할 때 빈칸에 공통으로 알맞은 것은?

> 항상 해온 일만 하면, 항상 얻어 온 것을 얻게 될 것이다.
> ➡ If you always do _____ you've always done, you'll always get _____ you've always had.

① who   ② how   ③ what
④ that   ⑤ when

5 다음 상황에서 당신이 할 말을 아래 주어진 조동사 중 하나를 활용하여 완성하시오.

> Your coworker asks if he can use the office phone for private calls. So you want to answer that it is forbidden. What would you say?

> may   need   must   have to

➡ You _____ the office phone for private calls.

✎고1 3월 응용

6 다음 문장에서 that이 들어갈 위치로 알맞은 곳은?

> (①) It (②) is (③) safe (④) to assume (⑤) we can't be real friends with everyone.

①   ②   ③   ④   ⑤

7 다음 대화문의 빈칸에 가장 알맞은 것은?

> Min Why aren't you answering the text message?
>
> Sue That's because I _____ my cell phone.
>
>

① lose

② am losing

③ am lost

④ have lost

⑤ will lose

8 다음 주어진 문장과 의미가 가장 유사한 것은?

> You don't have to pay extra to use this program.

① You should pay extra to use this program.

② You need to pay extra to use this program.

③ You mustn't pay extra to use this program.

④ You don't need to pay extra to use this program.

⑤ It is not allowed to pay extra to use this program.

✐고1 9월 응용

9 다음 글의 빈칸에 가장 알맞은 것은?

> Social relationships benefit from people giving each other compliments now and again _____ people like to be liked and like to receive compliments. In that respect, social lies may benefit mutual relations. Social lies serve both self-interest and the interest of others.

① until

② when

③ while

④ although

⑤ because

✐고1 6월 응용

10 다음 글의 빈칸에 괄호 안의 단어를 바르게 배열하여 쓰시오.

> "Grandma," asked Amy, "are angels real?" "Some people say so," said Grandmother. Amy told Grandmother that she had seen them in pictures. But she also wanted to know _____.
> Her grandmother said she had, but they looked different than in pictures.

(her grandmother, seen, had, if, ever, actually, an angel)

➡ _____

A 다음을 읽고, 아래 [조건]에 따라 문장을 완성하시오.

My name is Shelly Bradley. I am teaching students at Wilson High School. My students have been participating in the Wildlife Rescue program.

조건
1. Shelly Bradley를 묘사하는 문장을 완성할 것.
2. 적절한 관계대명사를 사용할 것

➡ Shelly Bradely is a teacher at Wilson High School _____

_____ .

B 다음 주어진 문장에서 밑줄 친 부분을 바르게 고쳐 쓰시오.

1
If I had to spend a month without my phone, I <u>spend time on a ship traveling somewhere</u>.

➡ _____

2
She didn't follow the rule, but she acts as though <u>she follows the rule</u>.

➡ _____

3
It is very unlikely that he will come to the meeting on time tomorrow. If <u>he comes on time</u>, I would accept all his demands.

➡ _____

C 다음 그림을 참고하여, <보기>의 표현 중 하나를 포함하도록 문장을 고쳐 쓰시오.

1

This issue is too controversial.

➡ _____

_____

2

The water is clear enough.

➡ _____

_____

3

Goal setting can be helpful.

➡ _____

_____

● 보기 ●

to fish blind   to measure progress   to reach an agreement

6일 창의·융합·서술·코딩 테스트 2회

A 다음 시점을 참고하여 주어진 문장을 완성하시오.

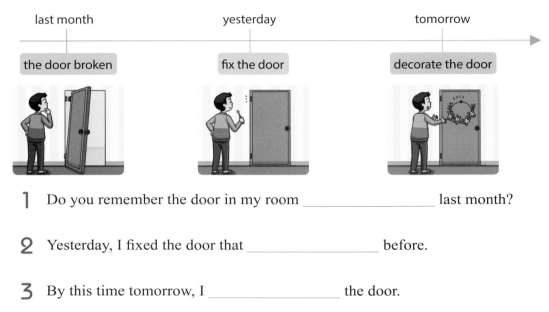

last month   yesterday   tomorrow

the door broken   fix the door   decorate the door

1   Do you remember the door in my room _____ last month?

2   Yesterday, I fixed the door that _____ before.

3   By this time tomorrow, I _____ the door.

B 다음 대화문을 읽고, 두 사람이 무엇에 대해 이야기하고 있는지 설명하는 문장을 완성하시오.

1

    A   Yuna, what did you do last weekend?

    B   I had a part-time job interview. What about you?

    A   I had to take my cat to the animal hospital.

➡ They are talking about what _____.

2

    A   Did you choose a course for next year, Minha?

    B   Not yet, Mark. I'm still wondering what to choose.

➡ Mark asks Minha _____.

C 다음 두 문장을 한 문장으로 바꿀 때, 빈칸에 알맞은 말을 쓰시오.

1

She drew butterflies very vividly. As a result, they seem alive.

➡ She drew butterflies _____ vividly _____ they seem alive.

2

The enemies were badly wounded. However, they refused to surrender.

➡ _____ the enemies were badly wounded, they refused to surrender.

3

Tell me what's wrong. If you don't, I can't help you.

➡ I can't help you unless _____.

D 다음 목록에 표시된 것을 바탕으로 예시와 같이 적절한 조동사를 활용하여 문장을 완성하시오.

	possible	not possible	forbidden
[예시] riding a bicycle	☐	☐	☐
1. speaking English fluently	☐	☐	☐
2. using a cell phone at school	☐	☐	☐
3. playing computer games 30 minutes a day	☐	☐	☐

예시

 I can ride a bicycle.

1  I _____.

2 I _____.

3 I _____.

1 다음 빈칸에 들어갈 말로 알맞은 것은?

In those moments _____ you're coping with intense worry or stress, your usual levels of attention and patience are challenged.

① why   ② which   ③ when
④ where   ⑤ whose

2 다음 밑줄 부분 중 어법상 어색한 것을 찾아 바르게 고치시오.

① During sleep, a mammal's body temperature ② decreases ③ to save energy. Muscle activity decreases, ④ saves still ⑤ more energy.

_____ ➡ _____

3 다음 빈칸에 공통으로 들어갈 말을 쓰시오.

Companies _____ command trust and loyalty over the long term are the ones _____ make us feel we're accomplishing something bigger than just saving a buck.

➡ _____

고1 3월 응용

4 다음 괄호 안의 표현을 어법에 맞게 변형하여 빈칸을 완성하시오.

While some sand is formed in oceans from things like shells and rocks, most sand _____(make up of) tiny bits of rock that came all the way from the mountains!

➡ _____

5 〈보기〉에 주어진 표현을 포함하도록 다음 문장을 고쳐 쓰시오.

A ground squirrel can become as disturbed as a person.

• 보기 •
• who is prevented from sleeping
• that is prevented from hibernating

➡ _____
_____
_____

6 다음 밑줄 친 단어를 문맥에 맞게 고쳐 쓰시오.

> Be prepared to use reliable information (defend) your statements and actions.

➡ _____

7 다음 문장의 빈칸에 가장 알맞은 것은?

> There are many modes of cognition, many different ways _____.

① thinking that takes place

② how thinking takes place

③ which thinking takes place

④ thinking in which takes place

⑤ by which thinking takes place

✎고1 3월응용

8 다음 빈칸에 괄호 안의 단어를 바르게 배열하시오.

> Shirley attended Brooklyn College and majored in sociology. _____
> in 1946, she began her career as a teacher and went on to earn a master's degree in elementary education from Columbia University.

(from, graduating, after, Brooklyn College)

➡ _____

9 다음 빈칸에 알맞은 말을 〈보기〉의 문장을 변형하여 완성하시오. (단, 관계부사 또는 관계대명사를 사용할 것)

> In the real world of business, _____
> _____, can a person-centered design philosophy have an effect?

• 보기 •

> Many practical constraints affect the final product there.

➡ _____

_____

✎고1 6월응용

10 다음 밑줄 친 우리말을 〈조건〉에 맞게 영어로 쓰시오.

> If they are not sure 그들이 칭찬 배지를 받을 만큼 충분히 잘 할 수 있다는 것을, children may avoid certain activities.

조건

1. 다음 주어진 표현 중 6개를 사용할 것

   do / enough / earn / can / well / merit badges / too

2. 필요한 경우 형태를 변형할 것

➡ _____

11 주어진 문장을 다음과 같이 바꿀 때, 빈칸에 알맞은 말을 쓰시오.

> People have achieved all great things with focus, pondering, and problem solving.

➡ Nothing great _____

　without focus, pondering, and problem solving.

12 다음 밑줄 친 단어의 형태로 알맞은 것은?

> When everything works, smart machines can be helpful, increasing safety and <u>perform</u> tasks more accurately than we could.

① perform ② performs
③ performed ④ performing
⑤ to perform

13 밑줄 친 우리말을 영어로 쓸 때 빈칸에 알맞은 말을 완성하시오.

> Dennis says he was a technology addict. <u>그는 만난 적이 없는 친구들과 하루에 몇 시간씩 온라인으로 소통했다.</u>

➡ He communicated online for hours a day with friends he _____.

✎고1 3월 응용

14 다음 글의 밑줄 친 ①~⑤ 중, 어법상 어색한 것은?

> Technological development often ①forces change, and change is uncomfortable. This is one of the main reasons ②which technology is often ③resisted. It is important ④to understand our natural hate of being uncomfortable ⑤when we consider the impact of technology on our lives.

① ② ③ ④ ⑤

✎고1 9월 응용

15 다음 글의 빈칸 (A), (B)에 알맞은 말로 짝지어진 것은?

> A businessman's optimistic forecast can ___(A)___ by aggressive competition in ways he could not have foreseen. Or his sales can skyrocket and his numbers can get even better. In any event, he will be foolish ___(B)___ to his old vision in the face of new data. There is nothing wrong in modifying your vision or even abandoning it, as necessary.

	(A)	(B)
①	blow away	– stick
②	blow away	– to stick
③	to blow away	– sticking
④	be blown away	– to stick
⑤	be blown away	– sticking

🖋️고1 11월응용

16 다음 밑줄 친 (A)와 (B)의 우리말과 같도록 괄호 안의 단어를 배열하여 쓰시오.

> Non-verbal communication is not a substitute for verbal communication. Rather, it should serve to enhance the richness of the content of the message (A)전달되고 있는. Non-verbal communication can be useful in situations (B) 말하는 것이 부적절할지도 모르는.

(A) (is, passed, being, that, across)

➡ _____

(B) (be, speaking, where, may, inappropriate)

➡ _____

17 다음 (A)~(C)의 네모에서 알맞은 말로 짝지어진 것은?

> Swimmers (A) who / which set realistic goals (B) was / were more confident and less anxious than swimmers (C) whom / whose goals were unrealistic.

  (A)　　(B)　　(C)
① who　– was　– whom
② who　– were　– whom
③ who　– were　– whose
④ which – were　– whose
⑤ which – was　– whom

18 다음 밑줄 친 부분과 바꿔 쓸 수 있는 것은?

> For some reasons, when things start to go badly in our life, we stick to the same routine, <u>while we repeat</u> the same unsuccessful strategies.

① repeat　　　　② repeated
③ repeating　　　④ to repeat
⑤ having repeated

19 〈보기〉에서 3개의 표현을 활용하여 빈칸에 알맞은 말을 쓰시오.

> Some rivers, lakes and beaches have become _____ for swimming, boating or fishing.

――――― 보기 ――――
too / enough / so / polluted / being used / to be used

20 다음 빈칸에 들어갈 말로 알맞은 것을 <u>모두 고르시오</u>.

> Some teachers tell students to go with their first instinct when _____ a multiple-choice test.

① take　　② taken　　③ taking
④ to take　　⑤ they take

1 다음 괄호 안의 말을 알맞은 형태로 고치시오.

> What we parents have to understand _____ (be) that there are very few rules that can't be broken with a good enough reason.

➡ _____

2 다음 문장에서 believe의 목적어를 찾아 쓰시오.

> Most of us believe we will find our best selves in relationships, jobs or bank accounts.

➡ _____

_____

3 다음 밑줄 친 말이 의미하는 바를 찾아 우리말로 쓰시오.

> The majority of scientific opinion supports the theory that human industry plays a key role in global warming and climate change.

➡ _____

🖉 고1 11월 응용

4 다음 우리말을 영어로 쓸 때, 밑줄 친 form의 형태를 바르게 고쳐 쓰시오.

> 오랫동안 공동체들은 개인의 삶에서 중요한 사건들을 기념하는 춤 의식들을 통해 자신들의 정체성을 형성해 왔다.
> = Throughout time, communities form their identities through dance rituals that mark major events in the life of individuals.

➡ _____

5 다음 빈칸 (A), (B)에 공통으로 알맞은 말은?

> Students today are born into a world   (A)   is so fast-paced and technologically advanced   (B)   the need for stimulation is merely a way of life.

① as   ② for

③ that   ④ where

⑤ which

6 접속사 when을 사용하여 다음 두 문장을 한 문장으로 바꿔 쓰시오.

> • A person makes decisions without explanation or consultation.
> • People neither trust nor like the result.

➡ _____

_____

7 다음 밑줄 친 ①~⑤ 중 어법상 <u>어색한</u> 것은?

> ①Whether we like to admit it ②or not, we ③are not entirely rational beings. ④If we ⑤are, no one would ever fall in love and no one would ever start a business.

①   ②   ③   ④   ⑤

8 다음 문장에서 접속사 that의 위치로 가장 알맞은 곳은?

> (①) Modern research (②) shows (③) the affective system (④) provides (⑤) critical assistance to your decision making.

①   ②   ③   ④   ⑤

✏ 고1 3월 응용

9 다음 밑줄 친 부분을 간접의문문으로 바꿀 때 빈칸에 알맞은 말을 쓰시오.

> One day I caught a taxi to work. When I got into the back seat, I saw a brand new cell phone sitting right next to me. <u>I asked the driver, "Where did you drop the last person off?"</u> and showed him the phone. He pointed at a girl walking up the street. We drove up to her and he yelled out to her. She was very thankful.

➡ I asked the driver where _____

_____ .

✏ 고1 9월

10 다음 빈칸에 가장 알맞은 것은?

> _____ individual behavior can contribute to social problems, our individual experiences are often largely beyond our own control. They are determined by society as a whole — by its historical development and its organization.

① Since   ② As if

③ Whether   ④ Although

⑤ Unless

7일 학교 시험 기본 테스트 2회

✎고1 3월

11 다음 밑줄 친 부분과 바꿔 쓸 수 있는 것은?

> Boole <u>was forced to</u> leave school at the age of sixteen after his father's business collapsed.

① might   ② would   ③ could

④ had to   ⑤ was able to

12 다음 밑줄 친 ①~⑤ 중, 어법상 어색한 것을 찾아 바르게 고쳐 쓰시오.

> Simon ①saw a scene that ②forced him ③to reexamine nearly every lesson he ④has ever learned about how ⑤to run a company.

➡ _____   ➡ _____

13 다음 밑줄 친 우리말을 영어로 완성하시오. (다섯 단어로 쓸 것)

> <u>내가 무엇을 해야 할지 알았더라면 좋았을 텐데</u> those first days in the office when everybody else looked so busy.

➡ I wish I _____

✎고1 6월 응용

14 다음 밑줄 친 부분과 바꿔 쓸 수 있는 것은?

> Of the many forest plants that can cause poisoning, wild mushrooms <u>may be</u> the most dangerous. This is because people sometimes confuse the poisonous and edible varieties.

① must be   ② cannot be

③ are perhaps   ④ ought to be

⑤ are certainly

✎고1 3월 응용

15 다음 밑줄 친 단어의 형태를 문맥에 맞게 고쳐 쓰시오.

> The Radio Music Festival team will select the top five designs. The one grand prize winner <u>choose</u> by online voting.

➡ _____

16 다음 빈칸에 알맞은 것은?

> As fish live underwater, they _____ worry about dust. So they don't need eyelashes!

① must   ② shouldn't

③ need to   ④ are able to

⑤ don't have to

17 다음을 읽고, 유추할 수 있는 것은?

> Sean speaks as though he had worked for an advertising company.

① No one knows where Sean is working now.

② Sean will be working for an advertising company.

③ Sean didn't work for an advertising company.

④ It is true that Sean is working for an advertising company.

⑤ Sean has been working for an advertising company.

18 다음 밑줄 친 우리말을 영어로 바르게 표현한 것을 모두 고르시오.

> Your scientific investigations are useless <u>누군가가 그것을 실행에 옮기지 않는 한</u>.

① if someone puts them in practice

② unless someone puts them in practice

③ if someone doesn't put them in practice

④ as someone doesn't put them in practice

⑤ unless someone doesn't put them in practice

✎고1 11월 응용

19 다음 밑줄 친 부분의 의미로 알맞은 것을 <u>모두</u> 고르시오.

> When Angela was young, she was always disappointed about her performance despite her efforts. But her mom said to her that working hard is more important. With her mother's encouragement, she tried to do her best. Many years later, <u>Angela was awarded a New Directions Fellowship</u>, given to most promising young researchers.

① Angela received a New Directions Fellowship

② Angela gave a New Directions Fellowship

③ Angela wanted a New Directions Fellowship

④ a New Directions Fellowship was given to Angela

⑤ Angela couldn't win a New Directions Fellowship

20 〈보기〉에서 3개의 표현을 골라 빈칸에 알맞은 말을 쓰시오.

> This glass can't be broken. _____ be broken, I will give you a full refund.

┌─────────────── ● 보기 ●
> if, as, it, they, should, could

Picture Puzzle

정답과 해설 **78**쪽

◈ 그림과 <보기>의 우리말에 알맞은 말을 영어로 넣어 크로스워드 퍼즐을 완성해 보시오.

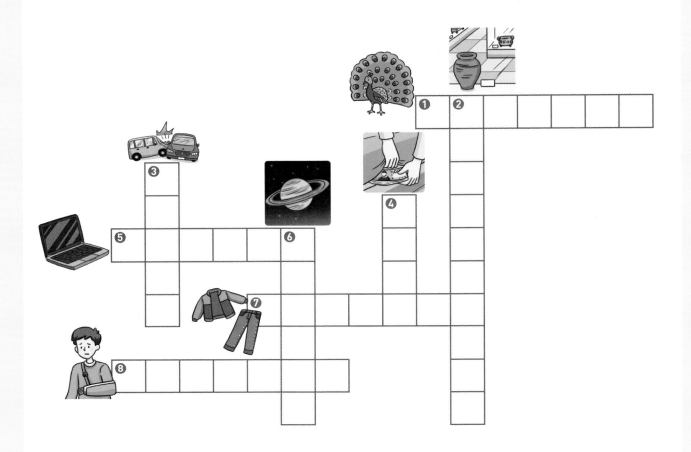

• 보기 •

Across
1. 공작새
5. 휴대용 컴퓨터
7. 의류
8. 부상당한

Down
2. 전시, 전시회
3. 충돌하다
4. 숨다, 숨기다
6. 행성

1일 기초 확인 문제 9쪽

1 (1) who suffer from diabetes
→ 당뇨병을 앓고 있는

(2) whose tails spread out like a fan
→ 꼬리가 부채처럼 펼쳐지는

(3) who is only clinically dead
→ 임상적으로만 사망한

2 (1) that
→ 아무도 예상하지 못했던

(2) who
→ 최고의 논쟁을 만들어 낼 수 있는

(3) at which
→ 음파가 움직이는

(4) whose

1 (1) many people을 선행사로 하는 주격 관계대명사 who이다.
해석 이 기기는 당뇨병을 앓고 있는 많은 사람들을 도울 것이다.

(2) birds를 선행사로 하는 소유격 관계대명사 whose이다.
해석 공작새는 꼬리가 부채처럼 펼쳐지는 새이다.

(3) Someone을 선행사로 하는 주격 관계대명사 who이다.
해석 임상적으로만 사망한 사람은 종종 소생될 수 있다.

2 (1) 선행사 a problem은 관계대명사절에서 expected의 목적어 역할을 하므로 목적격 관계대명사 that이 적절하다.

(2) 선행사 A good philosopher가 사람이므로 관계대명사 who가 와야 한다.

(3) 선행사 the speed가 관계대명사절에서 전치사 at의 목적어 역할을 하므로, at which가 적절하다.

(4) 문맥상 선행사인 students in your class와 관계대명사절의 native language가 소유 관계이므로 관계대명사 whose가 적절하다.

1일 기초 확인 문제 11쪽

3 (1) where I could hide
→ 내가 숨을 수 있는

(2) when you feel down
→ 기분이 좋지 않은

(3) we talk
→ 우리가 말하는

4 (1) why
→ 소비자들이 매장에서보다는 온라인에서 쇼핑하는

(2) where
→ 당신이 가장 많이 쇼핑을 하는

(3) when
→ 우리가 만나기로 약속한

(4) how
→ 분노의 감정에 대응하는 방식

3 (1) 관계부사 where절이 선행사 place를 수식하는 문장이다.
해석 내가 숨을 수 있는 곳이 없었다.

(2) 관계부사 when절이 선행사 some days를 수식하는 문장이다.
해석 기분이 좋지 않은 날이 있는 것은 정상이다.

(3) 관계부사 how가 생략된 절이 선행사 the way를 수식하는 문장이다. the way와 how는 함께 쓰일 수 없고 the way나 how 중 하나만 쓴다.
해석 기술은 우리가 말하는 방식을 바꾼다.

4 (1) 선행사가 이유(the reasons)에 해당하므로 관계부사 why가 와야 한다.

(2) 선행사가 장소(the grocery store)에 해당하므로 관계부사 where가 와야 한다.

(3) 선행사가 시간(the time)에 해당하므로 관계부사 when이 와야 한다.

(4) 선행사 the way가 생략된 관계부사 how가 와야 한다. 관계대명사 what 뒤에는 불완전한 문장이 와야 하므로 적절치 않다.

1 ④
2 whose goal was to bring an end to hunger around the world
3 Ads will cover up negative aspects of the company they advertise.
4 ④
5 The restaurant where we had lunch was in the center of Moscow.
6 ②　**7** ④　**8** ①, ②

1 ④에서 관계대명사 which 뒤에 완전한 구조의 절이 이어지므로 목적격 관계대명사가 아니라 '전치사 + 관계대명사' 또는 관계부사 where가 와야 한다.
〔해석〕① 당신에게 도움이 될 수 있는 몇 가지 조언이 있습니다.
② 오늘 논의할 주제는 무엇입니까?
③ 이분은 이 프로젝트를 담당할 직원입니다.
④ 나는 전람회가 열리는 곳을 방문해야 한다.
⑤ Emma는 가족들이 질문을 하도록 격려하는 소녀였다.

2 선행사는 the global project이고, '그것의 목표가 전 세계의 기아를 끝내는 것인'의 뜻으로 문장을 연결하려면 '소유격 관계대명사 whose + 명사'가 이어져야 한다.
~을 끝내다: bring an end to ~

3 '그들이 광고하는 회사(the company (that) they advertise)'에서 목적격 관계대명사는 생략할 수 있고, which 또는 that이 생략되었다.
부정적인 측면: negative aspects

4 ④ 목적격 관계대명사 whom은 선행사로 사람이 와야 하므로 선행사 a situation을 수식할 수 없다.
〔해석〕① 당신이 편하게 느끼는 상황을 생각해 보라.
② 당신을 흥분시키는 상황을 생각해 보라.
③ 당신이 우울하다고 생각하는 상황을 생각해 보라.
⑤ 당신이 처리할 수 없는 상황을 생각해 보라.

5 The restaurant과 there가 공통 요소이므로 장소의 관계부사 where로 연결할 수 있다.

6 ② 주격 관계대명사로 쓰인 who는 생략할 수 없다. 나머지 목

적격 관계대명사(④)나 관계부사(①, ③, ⑤)는 생략할 수 있다.
〔해석〕① 우리 중 몇몇이 그렇게 가난한 이유는 무엇일까요?
② 그녀는 아이에게 새로운 음식을 먹으라고 강요하는 부모에 대해 이야기했다.
③ 르네상스는 교육의 발전이 매우 빠른 시기였다.
④ Charlie는 내가 만났던 가장 활기찬 사람들 중 한 명이었다.
⑤ 밀라노는 그 나라의 나머지에서보다 변화가 더 빨리 일어나는 곳이다.

7 선행사 the moment 뒤에는 시간의 관계부사 when이 오는 것이 알맞다.
〔해석〕문이 열린 순간 전화벨이 울렸다.

8 '우리가 말하는 방식으로'는 방법의 관계부사 the way나 how를 써서 the way we talk 또는 how we talk로 쓸 수 있다. the way how는 함께 쓸 수 없다.

2일 기초 확인 문제
17쪽

1 (1) to express
→ 농아자는 자신의 생각을 표현하기 위해 수화를 사용한다.
(2) to have
→ 학교에서 유일한 전학생으로서 그녀는 실험실 파트너를 갖게 되어 기뻤다.
(3) to say
→ 말할 필요도 없이, 나는 내 가족이 나를 위해 선택한 길을 따르지 않았다.

2 (1) ③
→ 그가 자신의 잘못을 인정하다니 용감했다.
(2) ④
→ 그녀는 이 험한 세상에서 살아남을 만큼 충분히 똑똑하다.
(3) ④
→ 어떤 사람들은 태양열 발전이 사용하기에 너무 비싸다고 주장한다.
(4) ④
→ 어떤 동물들은 주변 환경과 섞이기 위해 모양이나 색깔을 바꾼다.

1 (1) 목적을 나타내는 부사적 용법의 to부정사이다.

(2) 형용사(pleased)를 수식하는 부사적 용법의 to부정사로 감정의 원인을 나타낸다.

(3) needless to say: 말할 필요도 없이

2 (1) 판단의 근거가 되는 부사적 용법의 to부정사로, 형용사 (courageous) 뒤에 와야 한다.

(2) 형용사 + enough + to부정사: ~할 만큼 충분히 …한

(3) too + 형용사 + to부정사: ~하기에는 너무 …한

(4) to blend in with their surroundings는 동물들이 모양이나 색깔을 바꾸는 목적을 나타내는 부사적 용법으로 쓰였다.

2일 기초 확인 문제   19쪽

3 (1) reacting immediately

→ 즉시 반응하면서

(2) Having lost his job

→ 직장을 잃은 후에

(3) Determined to be the best golfer

→ 최고의 골퍼가 되기로 결심해서

4 (1) Armed

→ 과학적 지식으로 무장하고 나서

(2) Seeking

→ 새로운 출발을 추구하며

(3) Feeling

→ 자신감을 느끼고서

(4) Having

→ 식사를 마친 후에

3 (1) 주절의 동작(반격하는 것)과 동시에 일어나는 일을 표현하는 분사구문이다.

[해석] 당신은 즉시 반응하면서 반격할 수도 있다.

(2) 'Having + 과거분사'는 주절보다 앞서 일어난 일을 표현한다.

[해석] 직장을 잃은 후에, Max는 나에게 조언을 구하러 왔다.

(3) 'Being + 형용사'에서 Being이 생략된 형태의 분사구문이다.

[해석] 최고의 골퍼가 되기로 결심해서, 그는 대부분의 시간을 연습하는 데 보냈다.

4 (1) 분사구문의 의미상 주어인 people은 '무장된'의 의미이므로 수동 의미가 되어야 자연스럽다.

[해석] 과학적 지식으로 무장하고 나서, 사람들은 도구와 기기를 만든다.

(2) 주절의 동작(settled)과 동시에 일어나는 일을 표현하는 분사구문이다.

[해석] 새로운 출발을 추구하며, Sara는 새 집에 정착했다.

(3) 주절의 동작(volunteered)과 동시에 일어나는 일을 표현하는 분사구문이다.

[해석] 자신감을 느끼고서, 일부 학생들은 일련의 어려운 질문에 자진해서 대답했다.

(4) 주절보다 앞서 일어난 일을 표현할 때, 완료 분사구문 (Having + 과거분사)을 쓴다.

[해석] 식사를 마친 후, 우리는 구시가지로 향했다.

2일 적중 예상 베스트   20~21쪽

1 ③

2 Still amazed by his success

3 I was smart enough to start

4 ③

5 Moinee fell out of the stars down to Tasmania to die.

6 ①   **7** ②   **8** ④

1 '비에 젖는 것을 피할 수 있었던 것'에 대한 이유를 나타내는 분사구문을 써야 하므로 현재분사를 쓴다.

[해석] 우산이 있었기 때문에, 나는 비에 젖는 것을 피할 수 있었다.

2 주절의 의미를 보충해 주는 분사구문이다. amaze는 '놀라게 하다'의 뜻으로, 의미상 주어인 주절의 주어 he와 수동 관계이므로 amazed를 쓴다.

3 '형용사 / 부사 + enough + to부정사'는 '~할 만큼 충분히 … 한 / 하게', 'prove + to부정사'는 '~임이 증명되다'의 뜻이다.

[해석] 26살에 나는 내 컨설팅 회사를 차릴 만큼 충분히 똑똑하다고 생각했다. 그것은 큰 실패였지만 훌륭한 학습 경험으로 증명되었다.

4 (A) 부사적 용법의 to부정사구로 목적을 나타낸다.

(B) 부사적 용법의 to부정사구로, 형용사인 easy를 수식한다.

해석 (A) 이 섬을 안전하게 탈출하기 위해 우리는 안전 지침을 따라야 한다.

(B) 많은 과학자들은 그의 이론이 이해하기에 쉽지 않다고 동의한다.

5 to die는 to부정사의 부사적 용법 중 결과를 나타내는 표현으로 '그 결과 죽었다'라고 해석된다.

~에서 떨어지다: fall out of

6 주어진 문장의 walking은 동시동작을 나타내는 분사구문이므로, ①의 talking과 쓰임이 같다.

②, ③ 동명사

④ 명사를 수식하는 현재분사

⑤ 목적격보어 역할의 현재분사

해석 아주 많은 보행자들이 거리를 걷는 동안 휴대폰으로 말하고 문자 메시지를 보내고 있다.

① 나는 내 친구와 이야기하면서 테이블에 앉았다.

② 사실, 나쁜 습관을 끊는 것은 쉽지 않다.

③ 그 순간에 모두가 숨을 멈췄다.

④ 여기 호박 위로 기어오르는 개미 한 마리가 있다.

⑤ 아무도 검은 고양이가 몰래 들어오는 것을 알아채지 못했다.

7 '접속사 + 주어 + 동사' 형태의 부사절은 분사구문으로 바꿔 쓸 수 있으며, 주어와 동사가 능동 관계이므로, 현재분사 형태의 분사구문으로 바꿔야 한다.

해석 Shirley는 새들이 무엇을 말하려고 하는지 궁금해 하면서 창밖을 내다보았다.

8 문맥상 '다시 시작하기에 결코 늦지 않은'이라는 말이 와야 자연스러우므로, 'never + too + 형용사(late) + to부정사(to start)'의 형태가 되어야 한다.

해석 길을 잘못 돌면, 처음부터 다시 시작할 수 있다. 다시 시작하기에 결코 늦지 않다.

3일 기초 확인 문제 25쪽

1 (1) was struggling

→ 고군분투하고 있었다

(2) will be working

→ 우리와 함께 일하고 있을 것이다

(3) have experienced

→ 더 많은 국제적 경쟁을 경험해 왔다

(4) had borrowed

→ 그녀의 차를 빌렸다는 것을

2 (1) More countries are acknowledging nature's rights.

(2) Human beings have evolved over millions of years.

(3) In the end, he couldn't find the painting he had lost.

1 (1) 과거진행형(was struggling)이 쓰였으므로, '~하고 있었다'라고 해석한다.

(2) 미래진행형(will be working)이 쓰였으므로, '~하고 있을 것이다'라고 해석한다.

(3) '계속'을 나타내는 현재완료 표현(have experienced)이 쓰였다.

(4) 과거완료 표현(had borrowed)이 쓰여서 과거의 특정 시점(forgot)보다 이전에 일어난 일을 나타낸다.

2 (1) '인정하고 있다'라고 했으므로 현재진행형이 적절하다.

(2) 과거에서 현재까지 계속되어 온 일을 나타내므로 현재완료(have + 과거분사) 표현을 쓴다.

(3) '그림을 잃어버린 것'은 '그림을 찾지 못한 것'보다 더 이전에 일어난 일이므로 과거완료(had + 과거분사) 표현을 쓴다.

3일 기초 확인 문제 27쪽

3 (1) are released

(2) will be picked up

(3) has been undertaken

4 (1) were taken

→ 최초의 수중 사진은 영국인에 의해 촬영되었다.

(2) be

→ 자리가 있으면, 늦어도 등록할 수 있을 것이다.

(3) being carried

→ 하버 로드와 브리지 로드에서 도로 수리가 진행되고 있다.

(4) known

→ 그는 그의 나라에서 최고의 기타리스트로 알려져 왔다.

3 (1) 호르몬(주어)은 '방출되는' 것이므로 수동태 형태가 되어야 하고, 주어가 복수이고, 시제가 현재시제이므로 be동사의 형태는 are가 되어야 한다.
(2) 신발(주어)은 '수거될' 것이므로 수동태의 미래형(will be + 과거분사)으로 표현한다.
(3) 연구(주어)가 '지금까지 거의 이루어지지 않은' 것이므로 완료 수동태(have been + 과거분사)의 형태로 쓴다.

4 (1) 주어인 '수중 사진'은 찍히는 것이므로 수동태(be동사 + 과거분사)가 되어야 한다.
(2) 수동태의 미래 시제는 'will be + 과거분사'로 표현한다.
(3) 주어인 '도로 수리'가 진행되고 있는 중이므로, 진행 수동태(be being + 과거분사)가 되어야 한다.
(4) be known as: ~로 알려져 있다

3일 적중 예상 베스트 28~29쪽

1 ②　**2** ④　**3** ③
4 will be working
5 ②
6 is being used to produce crops
7 ③ exposing → exposed
8 ③

1 과거 특정 시점인 yesterday에 스케이트를 타는 중이었으므로, 과거진행형이 와야 한다.
[해석] A: 어제 왜 전화 안 받았어?
B: 스케이트를 타고 있었기 때문이야.

2 과거 특정 시점(had to solve)의 일보다 이전에 일어난 일을 표현할 때 과거완료 표현을 쓴다.

3 과거부터 현재까지 계속된 일을 나타내므로 현재완료 표현을 쓴다.
[해석] Anna는 작년에 이 마을로 이사 왔고, 여전히 여기에 산다.
→ Anna는 작년에 이 마을로 이사 온 이후로 이 마을에 살아 왔다.

4 미래 특정 시점(From next week)에 일하고 있을 것이므로, 미래진행형이 와야 한다.

5 목적어가 없는 자동사(turned out)는 'be동사 + 과거분사' 형태의 수동태로 바꿔 쓸 수 없다.
[해석] ① 기술은 우리를 더 게으르게 만들었는가?
② 그 소문은 거짓으로 드러났다.
③ 한 무리의 정치인들이 우리를 방문할 것이다.
④ Morris 박사는 동물 보호소를 설립했다.
⑤ MI Center는 언어 학습에 대한 연구를 했다.

6 현재진행형을 수동태로 바꾸면 현재진행 수동태(is/are + being + 과거분사) 형태가 된다. 수동태 문장에서 주어는 단수이므로 be동사를 is로 바꾼다.
[해석] 전 세계적으로, 유전 공학은 곤충과 질병에 내성이 있는 농작물을 생산하는 데 사용되고 있다.

7 ③ expose는 '노출시키다'의 의미로, 문맥상 아이들이 무엇에 '노출되어' 있는지 알아야 한다는 내용이 되어야 하므로, expose를 과거분사로 써서 수동태 형태가 되어야 한다.
[해석] 부모들은 그들의 아이들이 무엇에 노출되어 있는지 알아야 하는데, 이는 그들의 성격이 형성되고 있기 때문이다.

8 주어인 '그의 작품들(his works)'이 '읽혀 왔다'고 했으므로 현재완료 수동태(have been + 과거분사) 형태로 써야 한다.

4일 기초 확인 문제 33쪽

1 (1) 현재
　→ 그가 무엇을 원하는지 내가 안다면
(2) 과거
　→ 네가 그 질문에 대답하지 않았다면
(3) 미래
　→ 네가 혹시라도 내일 해고된다면
(4) 과거
　→ 누군가 너의 메모를 발견했더라면
2 (1) had been, have responded
(2) lived, would be
(3) should give (were to give)
(4) had given

1 (1) 가정법 과거(If + 주어 + 동사의 과거형, ~)는 현재를 반대로 가정할 때 쓴다.

(2) 가정법 과거완료(If + 주어 + had + 과거분사 ~)는 과거를 반대로 가정할 때 쓴다.

(3) 'If + 주어 + should + 동사원형 ~'은 미래에 실현 가능성이 희박한 일을 가정할 때 쓴다.

(4) 'I wish + 가정법 과거완료'는 과거 사실에 반대되는 소망을 나타낸다.

2 (1) 과거를 반대로 가정하므로, 가정법 과거완료(If + 주어 + had + 과거분사 ~, 주어 + 조동사의 과거형 + have + 과거분사 …) 형태를 쓴다.

(2) 현재를 반대로 가정하므로, 가정법 과거(If + 주어 + 동사의 과거형 ~, 주어 + 조동사의 과거형 + 동사원형 …) 형태를 쓴다.

(3) 미래에 실현 가능성이 희박한 일을 가정할 때, 'If + 주어 + should[were to] + 동사원형 ~'을 쓸 수 있다.

(4) 과거 사실에 반대되는 가정의 결과가 현재에 영향을 미칠 때 혼합가정법(If + 주어 + had + 과거분사 ~, 주어 + 조동사의 과거형 + 동사원형 …)을 쓴다.

3 (1) can (2) must
(3) can (4) must

4 (1) Regular exercise can be the immunity-booster.
(2) You are not permitted to pick the flowers.
(3) You ought to consider a few things before buying a car.

3 (1) 추측을 나타낼 때 can을 쓸 수 있다.
(2) 반드시 해야 하는 일(의무)을 나타낼 때 must를 쓸 수 있다.
(3) 능력을 나타내므로 can을 쓸 수 있다.
(4) '~해서는 안 된다'라는 금지를 나타낼 때 must not을 쓸 수 있다.

4 (1) may는 약한 추측으로 can으로 바꿔 쓸 수 있다. must be는 강한 추측(틀림없이 ~할 것이다)을 나타낸다.
해석 규칙적인 운동은 면역력 촉진제가 될지도 모른다.

(2) must not은 금지(~해서는 안 된다)를 나타낼 때 쓰이므로 are not permitted to를 써야 한다. don't have to는 '~할 필요가 없다'라는 의미이다.
해석 꽃을 꺾어서는 안 된다.

(3) should는 의무를 나타낼 때 쓰이며 ought to로 바꿔 쓸 수 있다. should는 must보다 약한 의미이다.
해석 차를 사기 전에 몇 가지를 고려해야 한다.

1 ③ **2** ④ **3** ④
4 the entire team would have been killed
5 ②
6 May I use your laptop?
7 should be responsible
8 ①

1 ③에서 if절은 주절의 동사(tell)의 목적어 역할을 하므로, 가정법 문장이 아니다.
해석 ① Malcolm은 마치 물리를 좋아하는 것처럼 말한다.
② 내가 하루 만이라도 투명인간이 될 수 있으면 좋을 텐데.
③ 나는 누군가가 나를 조종하고 있는지 알 수 있다.
④ 내가 시간이 있다면 너와 쇼핑하러 갈 텐데.
⑤ 만약 네가 행성을 설계할 수 있다면, 그것은 어떻게 생겼을까?

2 과거 사실에 반대되는 가정의 결과가 현재에 영향을 미치는 상황이므로 혼합가정법(If + 주어 + had + 과거분사 ~, 주어 + 조동사의 과거형 + 동사원형 …)을 쓴다.

3 수영을 배우지 못한 것에 대해 유감을 가지고, 과거를 반대로 가정하는 상황이므로, 'I wish + 가정법 과거완료(주어 + had + 과거분사 ~)' 형태가 되어야 한다.
해석 나는 수영을 배우지 않은 것이 유감이다. 내가 수영을 배웠다면 좋았을 텐데.

4 과거 상황을 반대로 가정하므로, 'If + 주어 + had + 과거분사 ~, 주어 + 조동사의 과거형 + have + 과거분사 …'의 형태가 되어야 한다.
해석 건물을 빠져 나오라는 결정이 내려져서, 그 팀 전체가 사망하지 않았다.

→ 만약 건물을 빠져 나오라는 결정이 내려지지 않았다면, 그 팀 전체가 사망했을지도 모른다.

5 강한 추측을 나타낼 때, 조동사 must를 쓸 수 있다.

[해석] A: Daniel이 지금 바쁘다고 확신하니?
B: 물론이지. 그는 바쁜 게 틀림 없어. 그래서 전화를 받지 않는 거야.

6 정중하게 허락을 구하는 상황이므로, 'May I + 동사원형 ~?'으로 표현할 수 있다.

[해석] 당신이 상사에게 노트북을 사용할 수 있도록 정중하게 허락을 요청할 때, 당신은 "당신의 휴대용 컴퓨터를 써도 될까요?"라고 물어볼 수 있다.

7 '~해야 한다'라는 의미의 의무를 나타내므로 조동사 should를 사용한다.

8 '~할 수 있다'라는 의미의 가능성을 나타낼 때 조동사 can을 쓸 수 있다.

[해석] 각기 다른 문화들은 주어진 종에 대해 상반되는 태도들을 보일 수 있다.

5일 기초 확인 문제 41쪽

1 (1) that you can multitask at once [S]

→ 당신이 동시에 여러 가지 일을 할 수 있다는 것이

(2) whether I should buy this coat [O]

→ 내가 이 코트를 사야 하는지 아닌지

(3) what no one had predicted [C]

→ 아무도 예측하지 못했던 것

2 (1) Whether (2) what
(3) when (4) that

1 (1) 명사절 주어(that you can ~)를 대신하는 가주어 It이 문장 앞에 쓰였다.

(2) whether ~는 동사 decide의 목적어 역할을 하므로 '~인지 아닌지'라고 해석한다.

(3) 관계대명사 what(~하는 것)이 이끄는 절이 명사절로 쓰여 보어 역할을 한다.

2 (1) whether + 주어 + 동사: ~인지 아닌지

(2) '~한 것'이라는 의미로, 선행사를 포함하는 관계대명사 what이 와야 한다.

(3) when + 주어 + 동사: 언제 ~할지

(4) '면역 체계가 스트레스에 반응한다는 것'은 that절이 이끄는 명사절 주어에 해당한다.

5일 기초 확인 문제 43쪽

3 (1) While (2) After (3) in case

4 (1) ⓑ

→ 그가 너무 빨리 말해서 나는 그가 하는 말을 이해할 수 없다.

(2) ⓒ

→ 그녀는 너무 배가 고파서 그 모든 음식을 다 먹었다.

(3) ⓐ

→ 나는 침대에 눕자마자 잠이 들 수밖에 없었다.

(4) ⓓ

→ 젖고 싶지 않으면 우산을 가져가라.

3 (1) while: ~하는 동안
(2) after: ~한 후에
(3) in case: ~의 경우에 대비해서

4 (1) because: ~ 때문에(이유)
(2) so + 형용사/부사 + that~: 매우 ~해서 …하다
(3) as soon as: ~하자마자
(4) unless: ~하지 않는다면

5일 적중 예상 베스트 44~45쪽

1 ②

2 주어: How anger is expressed
동사: is

3 is possible that they will absorb the wrong lesson

4 ④

5 Some bacteria produce oxygen so (in order) that we can breathe on Earth.

6 ② **7** ② **8** ⑤

1 ② '~한 것'이라는 의미로, 불완전한 구조의 명사절 주어를 이끌고 있으므로, 관계대명사 What을 써야 한다.

해석 ① 내가 당신을 믿는다는 사실을 잊지 마세요.
② 그에게 일어난 일은 그의 잘못이 아니었다.
③ 의사가 네 기분이 어떤지 물어볼 거야.
④ 그들이 살아남을 수 있을지는 중요하다.
⑤ 그 어린 소녀는 왜 하늘이 파란지 궁금했다.

2 의문사 How가 이끄는 명사절이 주어이고, 첫 번째 동사 is는 명사절의 동사, is가 문장의 동사이다.

해석 분노는 잘못되거나 나쁜 것이 아니다. 분노가 어떻게 표출되는지가 관건이다.

3 that이 이끄는 명사절 주어 대신 가주어 It을 문장 앞에 쓰고, 진주어인 that절은 문장 뒤로 보낼 수 있다.

해석 그들이 잘못된 교훈을 받아들일 가능성이 있다.

4 (1) know의 목적어 역할을 하는 간접의문문으로, 문맥상 '무엇을'을 의미하는 what이 와야 한다.
(2) found의 목적어 역할을 하는 명사절로 '~하는 것'을 의미하는 관계대명사절(what + 주어 + 동사)이 와야 한다.

해석 (1) 최선을 다한다는 것이 무엇을 의미하는지 아니?
(2) 일단 우리가 찾고 있는 것을 발견하면, 우리는 그것을 어떻게 유지할 것인가?

5 '~할 수 있도록'이라는 의미의 부사절을 이끄는 접속사는 so (in order) that이다.

6 because는 '~ 때문에'라는 의미로, 부사절의 맨 앞에 위치해야 한다.

7 'If ~ not'은 '~하지 않으면'이라는 의미로, unless와 바꿔 쓸 수 있다.

해석 네가 그 어린 소년을 돕지 않으면, 그는 큰 곤란에 빠질 것이다.

8 ⑤에서 의문사 when이 이끄는 명사절이 동사 know의 목적어 역할을 한다. 나머지는 '~할 때'라는 뜻으로 시간의 부사절을 이끄는 접속사로 쓰였다.

해석 ① 자전거를 탈 때, 너의 몸에 무슨 일이 생기는가?
② 우리는 차가 충돌할 때 차에 무슨 일이 생기는지 논의할 것입니다.
③ 내 친구가 문 앞 계단에 나타났을 때 나는 자고 있었다.
④ 고등학교 때 배운 것을 일할 때 사용할 수 있을까요?
⑤ Brenda가 어젯밤 파티에서 언제 돌아왔는지 아니?

6일 누구나 100점 테스트 1회 46~47쪽

1 ①, ④
2 we can control
3 guided us to a table where all the food was prepared
4 ⑤
5 have made → have been made
6 Someone who is lonely might benefit from helping others.
7 ③ **8** ④
9 (A) watching (B) smelling
10 will be working in the Marketing Department

1 빈칸 뒤에 방법의 선행사 the way를 수식하는 관계부사절이 이어진다. the way와 방법의 관계부사 how는 둘 중 하나만 쓰므로 빈칸에 the way 또는 how가 올 수 있다.

2 things 뒤에 목적격 관계대명사 which (that) 가 생략된 관계대명사절이 왔다.

해석 우리 모두는 우리의 기분에 영향을 미치는 힘든 경험을 가지고 있지만, 우리가 통제할 수 있는 것도 있다.

3 뒤에 오는 문장은 앞 문장의 a table을 수식하는 관계부사절(where ~)로 바꿀 수 있다.

해석 웨이터는 그 테이블로 우리를 안내했다.
모든 음식이 그 위에 차려져 있었다.
→ 웨이터는 모든 음식이 차려진 테이블로 우리를 안내했다.

4 to부정사의 부사적 용법으로, 목적(~하기 위해서)을 나타내므로 'in order to + 동사원형'과 바꿔 쓸 수 있다.

해석 학생들의 이해력을 기르기 위해, 선생님들은 학생들이 복잡한 텍스트를 읽게 하는 질문을 할 필요가 있다.

5 주어인 changes는 '만들어져 온' 것이므로 동사를 현재완료 수동형인 have been made으로 바꿔야 한다.

해석 수세기 동안 제조 방법에 변화가 있어 왔다.

6 문장의 주어인 someone 뒤에 주어를 수식하는 관계대명 사절(who is lonely)을 이어 쓴 후, 문장의 동사 might benefit(이득을 볼 수 있을지도 모른다)을 쓴다.

7 두 가지 동작이 동시에 일어날 때 분사구문을 이용하여 표현 할 수 있다. 동사 repeat가 능동 표현이므로 능동의 분사구문 repeating ~이 알맞다.

stick: 고수하다, 집착하다
routine: (판에 박힌) 일상
unsuccessful: 성공적이지 않은
strategy: 전략
over and over: 반복해서, 되풀이해서

해석 우리는 같은 일상에 집착한다.
동시에 우리는 같은 성공적이지 못한 전략을 반복한다.
→ 우리는 같은 성공적이지 못한 전략을 반복하면서 같은 일상에 집착한다.

8 형용사 / 부사 + enough + to부정사: ~할 만큼 충분히 …한 / 하게
accommodate: 수용하다

9 주절의 동작과 동시에 일어나는 일을 표현하므로 분사구문 (V-ing ~)을 쓴다.

lie on one's back: 반듯이 눕다
slide: 미끄러지다, 미끄러지듯이 슬며시 움직이다
scent: 향기, 냄새
go away: 사라지다

해석 Erda는 개간지에 반듯이 드러누워 그녀 위쪽의 나뭇잎 사이로 부서진 햇살이 스며드는 것을 지켜보았다. 그녀는 몸을 천천히 돌려 신선한 야생화로부터 풍겨오는 푸르고 쾌적한 향기를 맡으며 풀밭으로 얼굴을 내밀었다. 그녀는 모든 걱정이 사라졌음을 느꼈다.

10 다음 주부터 무엇을 하고 있을지 묻는 질문이므로, 미래진행형 (will be V-ing)을 활용하여 답한다.

해석 Sue Jones 씨께
모든 신입 사원이 모든 부서에서 경험을 얻어야 하는 것이 우리 회사 의 정책입니다. 귀하는 판매부에서 3개월을 채웠으므로, 다음 부서로 옮겨야 할 때입니다. 다음 주부터 귀하는 마케팅부에서 일하게 될 것 입니다.

6일 누구나 100점 테스트 2회   48~49쪽

1 had known
2 asked → were asked
3 were, would establish
4 ③
5 must not (mustn't) use
6 ⑤   **7** ④   **8** ④   **9** ⑤
10 if her grandmother had ever actually seen an angel

1 과거 상황을 반대로 가정하므로 가정법 과거완료(If + 주어 + had + 과거분사 ~) 형태가 되어야 한다.

해석 저는 당신이 병원에 있는지 몰랐어요. 당신이 병원에 있는 걸 알았다면 제가 찾아갔을 거예요.

2 문맥상 학생들이 애완동물로 어떤 동물을 가장 갖고 싶은지 말 해 달라는 요청을 받은 상황이므로, asked를 수동태로 고쳐야 한다.

해석 한 무리의 학생들이 애완동물로 어떤 동물을 가장 갖고 싶은지 말해 달라는 요청을 받았다. 가장 많은 학생들이 개나 고양이를 선택 했다.

3 현재 사실을 반대로 가정하므로, 가정법 과거(If + 주어 + 동사 의 과거형 ~, 주어 + 조동사의 과거형 + 동사원형 …)로 표현 해야 한다.

billionaire: 억만장자, 갑부
establish: 설립하다

해석 Q: 당신이 억만장자라고 가정해 봐라. 무엇을 하고 싶은가?
A: 내가 억만장자라면, 나는 내 고향에 대학을 설립할 것이다.

4 do, get의 목적어 역할을 하는 명사절을 이끄는 관계대명사 what(~한 것)이 와야 한다.

5 강한 금지를 나타낼 때 must not을 쓸 수 있다.

해석 동료가 사적인 전화에 사무실 전화를 사용할 수 있는지 묻는다. 그래서 당신은 그것이 금지되어 있다고 대답하기를 원한다. 당신은 뭐라고 말하겠는가?
→ 당신은 사적인 전화에 사무실 전화를 사용하면 안 됩니다.

6 assume의 목적어 역할을 하는 명사절을 이끄는 접속사 that 의 위치로 ⑤가 적절하다.
assume: 추정하다

[해석] 우리가 모든 사람과 진정한 친구가 될 수 있는 것은 아니라고 가정하는 것이 안전하다.

7 과거에 휴대 전화를 잃어버린 결과 지금도 휴대 전화가 없다는 의미를 나타내므로 현재완료(have + 과거분사) 표현을 써야 한다.
[해석] Min: 왜 문자 메시지에 응답하지 않는 거야?
Sue: 왜냐하면 휴대 전화를 잃어버렸거든.

8 don't have to: ~할 필요가 없다 (= don't need to)
[해석] 이 프로그램을 사용하기 위해 추가 비용을 지불할 필요는 없다.

9 빈칸 뒤의 내용은 앞 절에 대한 이유에 해당하므로 접속사 because가 오는 것이 적절하다.
relationship: 관계
compliment: 칭찬
now and again: 이따금, 때때로
mutual: 상호간의
social lie: 사회적 거짓말
self-interest: 자신의 이익
[해석] 사회적 관계는 사람들이 사랑받기 좋아하고 칭찬받기 좋아하기 때문에 서로에게 때때로 칭찬을 해 주는 것으로부터 이로움을 얻는다. 그러한 측면에서, 사회적 거짓말은 상호 관계에 도움이 될 수 있다. 사회적 거짓말은 자신의 이익과 타인의 이익 모두에 부합한다.

10 know의 목적어로 if가 이끄는 간접의문문(if + 주어 + 동사)이 쓰였다.
[해석] "할머니, 정말 천사가 있어요?" Amy가 물었다. "몇몇 사람들은 그렇다고 하지." 할머니가 말했다. Amy는 할머니에게 그녀가 그림에서 천사들을 본 적이 있다고 말했다. 하지만 그녀는 또한 그녀의 할머니가 실제로 천사를 본 적이 있는지도 알고 싶어 했다. 할머니는 천사를 본 적이 있다고 하였으나 그림에서 본 것과는 다르다고 했다.

6일 창의·융합·서술·코딩 테스트 1회 50~51쪽

Ⓐ whose students have been participating in the Wildlife Rescue program

Ⓑ **1** would spend time on a ship traveling somewhere
2 she had followed the rule
3 he should come on time

Ⓒ **1** This issue is too controversial to reach an agreement.
2 The water is clear enough to fish blind.
3 Goal setting can be helpful to measure progress.

Ⓐ a teacher를 수식하는 관계대명사절이 뒤에 이어져야 한다. 선행사인 a teacher와 관계대명사절의 students가 소유 관계이므로 소유격 관계대명사 whose를 쓴다.
[해석] 제 이름은 Shelly Bradely입니다. 저는 윌슨 고등학교에서 학생들을 가르치고 있습니다. 제 학생들은 야생동물 구조 프로그램에 참여해 오고 있습니다.
→ Shelly Bradley는 학생들이 야생동물 구조 프로그램에 참여해 오고 있는 윌슨 고등학교의 교사이다.

Ⓑ **1** 현재 사실을 반대로 가정하므로, 가정법 과거로 표현한다.
[해석] 만약 내가 휴대 전화 없이 한 달을 보내야 한다면, 나는 어딘가로 가는 배에서 시간을 보낼 것이다.
2 과거를 반대로 가정하므로 가정법 과거완료 표현을 쓴다.
[해석] 그녀는 규칙을 따르지 않았지만 마치 규칙을 지킨 것처럼 행동한다.
3 미래에 실현 가능성이 희박한 일을 가정할 때 'If + 주어 + should + 동사원형 ~'을 쓸 수 있다.
It is very unlikely that ~: 설마 ~할 것 같지 않다
demand: 요구
[해석] 그가 내일 제시간에 회의에 올 가능성은 매우 희박하다. 그가 혹시라도 제시간에 온다면, 나는 그의 요구를 모두 받아들일 것이다.

Ⓒ **1** too + 형용사/부사 + to부정사: ~하기에는 너무 …한/하게
issue: 쟁점, 문제
controversial: 논란이 많은
[해석] 이 문제는 합의에 이르기에는 너무 논란이 많다.
2 형용사/부사 + enough + to부정사: ~할 만큼 충분히 …한/하게
[해석] 그 물은 보지 않고도 낚시할 만큼 충분히 깨끗하다.
3 to부정사는 앞에 오는 형용사를 수식할 수 있다.
[해석] 목표 설정은 진전을 측정하는 데 도움이 될 수 있다.

정답

6일 창의·융합·서술·코딩 테스트 2회 52~53쪽

A 1 was broken

2 had been broken

3 will be decorating

B 1 they did last weekend

2 if(whether) she chose a course for next year

C 1 so, that

2 Though(Although, Even though)

3 you tell me what's wrong

D 1 can speak English fluently

2 must not(mustn't) use a cell phone at school

3 can play computer games 30 minutes a day

A 1 문이 부서진 것은 수동태로 표현하며, 과거에 있었던 일이므로 과거시제를 쓴다.

[해석] 지난달에 내 방의 방문이 부서졌던 것을 기억하니?

2 과거(어제)보다 더 이전에 있었던 일을 나타내므로 과거완료(had + 과거분사) 표현을 쓴다.

[해석] 어제 나는 예전에 부서졌던 문을 고쳤다.

3 미래의 특정 시점에 진행 중인 동작을 표현할 때 미래진행형(will be -ing)을 쓸 수 있다.

decorate: 장식하다

by this time tomorrow: 내일 이때쯤

[해석] 내일 이때쯤이면 나는 그 문을 장식하고 있을 것이다.

B 1 두 사람은 지난 주말에 무엇을 했는지에 대해 이야기하고 있다. 전치사 about의 목적어 자리에 오는 what이 이끄는 명사절(what + 주어 + 동사)의 어순에 유의하여 쓴다.

[해석] A: 유나야, 지난 주말에 뭐했니?

B: 아르바이트 면접을 봤어. 너는?

A: 고양이를 동물 병원에 데려가야 했어.

→ 그들은 지난 주말에 그들이 무엇을 했는지에 대해 이야기하고 있다.

2 Mark가 민하에게 내년에 들을 강좌를 선택했는지 아닌지를 묻는 상황이므로, if(whether)가 이끄는 간접의문문 형태로 쓴다.

[해석] A: 민하야, 내년에 들을 강좌를 선택했니?

B: 아직이야, Mark. 나는 아직도 무엇을 선택해야 할지 고민이야.

→ Mark는 미나에게 그녀가 내년에 들을 강좌를 선택했는지 묻는다.

C 1 so ~ that ...: 너무 ~해서 ···하다

butterfly: 나비 / vividly: 생생하게

[해석] 그녀는 나비를 아주 생생하게 그렸다. 그 결과 그것들이 살아 있는 것처럼 보인다.

→ 그녀가 나비를 아주 생생하게 그려서 그것들이 살아 있는 것처럼 보인다.

2 양보 의미의 부사절을 이끌 때 though, although, even though(비록 ~일지라도, ~에도 불구하고)를 쓸 수 있다.

badly: 심하게 / wounded: 부상당한

surrender: 굴복하다

[해석] 적들은 심한 부상을 입었다. 그들은 항복하기를 거부했다.

→ 적들은 심한 부상을 입었음에도 불구하고 항복하기를 거부했다.

3 unless: ~하지 않으면(= if ~ not)

[해석] 나에게 잘못된 것을 말하라. 그렇지 않으면 나는 당신을 도울 수 없다.

→ 당신이 나에게 잘못된 것을 말하지 않으면 나는 당신을 도울 수 없다.

D 가능/불가능을 나타낼 때 can/can't, 강한 금지를 나타낼 때 must not을 쓸 수 있다.

[해석] [예시] 나는 자전거를 탈 수 없다.

1. 나는 영어를 유창하게 말할 수 있다.

2. 나는 학교에서 휴대 전화를 사용해서는 안 된다.

3. 나는 하루에 30분 컴퓨터 게임을 할 수 있다.

7일 학교 시험 기본 테스트 1회 54~57쪽

1 ③

2 ④ saves → saving

3 that(which)

4 is made up of

5 A ground squirrel that is prevented from hibernating can become as disturbed as a person who is prevented from sleeping.

6 to defend

7 ⑤

8 After graduating from Brooklyn College

9 where(in which) many practical constraints affect the final product

10 they can do well enough to earn merit badges

11 has (ever) been achieved

12 ④

13 had never met

14 ②　　**15** ④

16 (A) that is being passed across

　　(B) where speaking may be inappropriate

17 ③　　**18** ③

19 too polluted to be used

20 ③, ⑤

---

1 시간을 나타내는 명사(moments)를 수식하는 관계사절로 완전한 구조의 절이 이어지므로 빈칸에 관계부사 when이 와야 한다.
cope with: ~에 대처하다
intense: 극심한, 강렬한
attention: 주의력
patience: 인내심
[해석] 여러분이 극심한 걱정이나 스트레스에 대처하는 그 순간에는 평소 수준의 주의력과 인내심이 도전받습니다.

2 ④ 에너지를 절약하는 것은 근육 활동이 감소하는 것과 동시에 일어나는 일이므로 분사구문으로 표현한다.
mammal: 포유류 / temperature: 온도, 체온
decrease: 감소하다 / muscle: 근육
[해석] 잠자는 동안 포유류의 체온은 에너지를 절약하기 위해 내려간다. 근육 활동이 감소하여 더 많은 에너지를 절약한다.

3 앞에 오는 명사 companies와 ones를 수식하는 주격 관계대명사절을 이끄는 that[which]이 와야 한다.
command: 명령하다 / loyalty: 충성심 / buck: 달러
[해석] 장기적으로 신뢰와 충성을 명령하는 기업은 우리가 단순히 비용을 절약하는 것보다 더 큰 성과를 거두고 있다고 느끼게 하는 기업이다.

4 주어인 '모래'는 '만들어지는' 것이므로 수동태가 되어야 한다.
shell: 조개껍데기 / be made up of: ~으로 이루어지다
tiny bits of: 아주 작은
[해석] 어떤 모래는 조개껍질이나 바위 같은 것들로부터 바다에서 만들어지기도 하지만, 대부분의 모래는 멀리 산맥에서 온 바위의 아주 작은 조각들로 이루어져 있다!

5 〈보기〉에 주어진 표현은 관계대명사절로 앞에 오는 명사를 수식한다. who가 이끄는 절은 사람 선행사인 a person 뒤에 쓰고, that이 이끄는 절은 동물 선행사인 A ground squirrel 뒤에 쓴다.
become disturbed: 매우 불안해하다
[해석] 땅다람쥐는 사람처럼 불안해한다.
• 잠을 못 자는 사람
• 겨울잠을 못 이루는 것
→ 겨울잠을 못 이루는 땅다람쥐는 잠을 못 자는 사람처럼 매우 불안해할 수 있다.

6 목적(~하기 위해서)을 나타내는 부사적 용법의 to부정사가 오는 것이 문맥상 자연스럽다.
reliable: 믿을 만한
defend: 방어하다
statement: 진술
[해석] 당신의 진술과 행동을 방어하기 위해 신뢰할 수 있는 정보를 사용하도록 준비하세요.

7 ways를 수식하는 관계대명사절로 '전치사 + 관계대명사 + 완전한 구조의 절'이 올 수 있다.
cognition: 인식, 인지
take place: 발생하다, 일어나다
[해석] 많은 인식의 모드, 사고가 일어나는 많은 다른 방법들이 있다.

8 접속사(after)로 시작하는 분사구문이다.
major: 전공하다
sociology: 사회학
career: 경력
master's degree: 석사 학위
[해석] Shirley는 Brooklyn 대학에 다니면서 사회학을 전공했다. 1946년에 Brooklyn 대학을 졸업한 후 그녀는 교사로서의 경력을 시작했고, 더 나아가 Columbia 대학에서 초등 교육 석사 학위를 취득했다.

9 In the real world of business가 관계사절에서 부사(there) 역할을 하므로 관계부사 또는 '전치사 + 관계대명사'를 사용해서 연결한다.
person-centered: 사람 중심의
philosophy: 철학 / have an effect: 영향을 미치다
constraint: 제약, 제한
[해석] 많은 실질적인 제약들이 최종 제품에 영향을 미치는 실제 비즈니스 세계에서, 사람 중심의 디자인 철학이 영향을 미칠 수 있을까?

10 형용사/부사 + enough + to부정사: ~할 만큼 충분히 …한/하게

칭찬 배지를 받다: earn merit badges

해석 아이들이 칭찬 배지를 받을 만큼 충분히 잘 할 수 있다고 확신하지 않는다면, 아이들은 그러한 활동은 피할지도 모른다.

11 현재완료 수동은 has(have) been p.p. 형태로 표현한다.

해석 사람들은 집중력, 숙고, 문제 해결로 모든 위대한 것들을 성취했다.
→ 집중력, 숙고, 문제 해결 없이는 어떤 위대한 것도 성취된 적이 없다.

12 perform은 분사구문 increasing safety와 병렬 연결되므로 같은 형태인 performing이 되어야 한다.

해석 모든 것이 작동하면 스마트 기기는 도움이 되어 안전성을 높이고 우리가 할 수 있는 것보다 더 정확하게 과업을 수행한다.

13 과거 특정 시점까지의 경험을 나타낼 때 과거완료(had + 과거분사) 표현을 쓴다.

technology addict: 기기 중독자

해석 Dennis는 자기가 기기 중독자였다고 말한다. 그는 만난 적이 없는 친구들과 하루에 몇 시간씩 온라인으로 소통했다.

14 ② 뒤에 완전한 구조의 절이 이어지므로 이유를 나타내는 관계부사 why가 와야 한다.

resist: 저항하다
impact: 영향

해석 과학 기술의 발전은 흔히 변화를 강요하는데, 변화는 불편하다. 이것은 과학 기술이 흔히 저항을 받는 주된 이유 중 하나이다. 과학 기술이 우리 삶에 끼치는 영향을 고려할 때 우리는 불편함에 대한 우리의 본능적인 싫어함을 이해하는 것이 중요하다.

15 (A) 주어인 '한 사업가의 낙관적인 예측'은 '날려지는' 것으로 수동형이 되어야 한다.
(B) 형용사(foolish)를 수식하는 부사적 용법의 to부정사가 와야 한다.

optimistic forecast: 낙관적인 예측
aggressive: 공격적인 / foresee: 예견하다
modify: 수정하다 / abandon: 포기하다
blow away: 날려 버리다 / stick: 고수하다, 집착하다

해석 한 사업가의 낙관적인 예측은 그가 예견할 수 없었던 방식으로 공격적인 경쟁에 의해 날려 버릴 수 있다. 혹은 그의 판매가 급등하거나 수치가 훨씬 나아질 수도 있다. 어떤 상황에서도, 그가 새로운 데이터에 직면했을 때 그의 기존의 비전을 고수하는 것은 어리석은 일이 될 것이다. 필요에 따라 비전을 수정하거나 포기해도 아무런 문제가 없다.

16 (A) message를 선행사로 하는 주격 관계대명사절로 that 뒤의 동사는 현재진행 수동(be being + 과거분사)형이 되어야 한다.
(B) situations를 수식하는 장소의 관계부사절로 'where + 주어 + 동사' 형태의 완전한 구조의 절이 되어야 한다.

non-verbal communication: 비언어적 의사소통
substitute: 대체물
enhance: 향상시키다
inappropriate: 부적절한

해석 비언어적 의사소통은 언어적 의사소통의 대체물이 아니다. 오히려 그것은 전달되고 있는 메시지 내용의 풍부함을 강화시키도록 도와주어야 한다. 비언어적 의사소통은 말하기가 부적절할지도 모르는 상황에서 유용할 수 있다.

17 (A) 사람(Swimmers)을 선행사로 하는 주격 관계대명사로 who가 와야 한다.
(B) 주어가 Swimmers로 복수이므로 were가 와야 한다.
(C) 이어지는 관계대명사 절에서 선행사 swimmers와 명사 goals가 소유 관계이므로 소유격 관계대명사 whose가 와야 한다.

realistic: 현실적인(↔ unrealistic 비현실적인)

해석 현실적인 목표를 세운 수영 선수들은 목표가 비현실적인 수영 선수들보다 더 자신감 있고 덜 불안해했다.

18 부사절의 주어가 주절의 주어와 동일하므로, 분사구문으로 바꿀 수 있다. 부사절의 시제가 주절과 같은 현재시제이므로 단순 분사구문인 ③이 알맞다.

해석 어떤 이유 때문에, 우리의 삶에서 일이 잘못되기 시작할 때, 우리는 같은 일상을 고수하며, 같은 성공적이지 못한 전략을 반복한다.

19 too + 형용사/부사 + to부정사: ~하기에는 너무 …한/하게

해석 일부 강, 호수, 해변은 수영, 보트 타기 또는 낚시에 이용되기에는 너무 오염되었다.

20 주절의 의미를 보충하기 위해, 부사절 'when + 주어 + 동사' 또는 분사구문 '(when +) V-ing'를 쓸 수 있다.

instinct: 본능
multiple-choice: 객관식

해석 일부 교사들은 학생들에게 객관식 시험을 볼 때 첫 번째 본능을 따르라고 말한다.

1 is

2 we will find our best selves in relationships, jobs or bank accounts

3 인간 산업이 지구 온난화와 기후 변화에 핵심적인 역할을 한다는 것

4 have formed　　**5** ③

6 When a person makes decisions without explanation or consultation, people neither trust nor like the result.

7 ⑤　　**8** ③

9 he had dropped the last person off

10 ④　　**11** ④

12 ④ has ever learned → had ever learned

13 had known what to do

14 ③

15 will be chosen

16 ⑤　**17** ③　**18** ②, ③　**19** ①, ④

20 If it should

1 명사절 주어(What ~ understand)는 단수 취급한다.
[해석] 우리 부모들이 이해해야 하는 것은 충분한 이유로는 어길 수 없는 규칙이 거의 없다는 것이다.

2 believe의 목적어로 바로 뒤에 명사절(we will find ~ accounts)이 왔으며, 접속사 that이 생략되었다.
[해석] 우리들 대부분은 관계, 직업, 은행 계좌에서 최고의 자신을 찾을 것이라고 믿는다.

3 the theory 뒤에 오는 동격절 that 이하가 the theory가 무엇인지 설명해 준다.
[해석] 대다수의 과학적인 의견들은 인간 산업이 지구 온난화와 기후 변화에 핵심적인 역할을 한다는 이론을 지지한다.

4 과거부터 현재까지 계속된 일을 표현할 때 현재완료(have + 과거분사)를 쓴다.
throughout time: 오랜 세월 동안
identity: 정체성 / ritual: 의식
mark: 기념하다, 표시하다 / individual: 개인

5 (A) a world를 선행사로 하는 주격 관계대명사가 와야 한다.
(B) so + 형용사 / 부사 + that: 매우 ~해서 …하다

fast-paced: 빠른 속도의 / technologically: 기술적으로
advanced: 진화된 / stimulation: 자극 / merely: 단지
[해석] 오늘날 학생들은 매우 빠르고 기술적으로 진보된 세상에 태어나서 자극의 필요성은 단지 삶의 한 방식일 뿐이다.

6 when은 '~할 때'라는 의미의 부사절(when + 주어 + 동사)을 이끄는 접속사이다.
explanation: 설명 / consultation: 상의, 협의
[해석] • 어떤 사람이 설명이나 협의 없이 결정을 내린다.
• 사람들은 그 결과를 신뢰하지도 않고 좋아하지도 않는다.
→ 어떤 사람이 설명이나 협의 없이 결정을 내릴 때 사람들은 그 결과를 신뢰하지도 않고 좋아하지도 않는다.

7 ⑤ 현재의 상태를 반대로 가정하는 상황이므로, 가정법 과거로 표현해야 한다. 가정법 과거의 if절에서 be동사는 are가 아니라 were를 써야 한다.
entirely: 전적으로 / rational: 이성적인
[해석] 우리가 그것을 인정하고 싶든 말든, 우리는 완전히 이성적인 존재가 아니다. 만약 우리가 그렇다면(이성적인 존재라면), 아무도 사랑에 빠지지 않을 것이고 사업을 시작하지도 않을 것이다.

8 that은 동사 shows의 목적어 역할을 하는 명사절을 이끄는 접속사로 쓰인다.
affective: 정서적인 / critical: 결정적인, 중요한
assistance: 도움, 원조
[해석] 최신 연구에 따르면 정서적 시스템이 의사 결정에 중요한 도움을 준다고 한다.

9 간접의문문의 어순은 '의문사 + 주어 + 동사'이며, 과거(asked)보다 더 이전에 일어난 일을 표현하므로 과거완료(had + 과거분사)를 써야 한다.
[해석] 어느 날 나는 직장에 가려고 택시를 탔다. 내가 뒷좌석에 탔을 때, 바로 내 옆에 새로 출시된 휴대 전화가 놓여 있는 것을 보았다. 나는 운전사에게 "바로 전에 탔던 사람을 어디에 내려 주었나요?"라고 물으며 전화기를 그에게 보여 주었다. 그는 길을 걸어가고 있는 젊은 여자를 가리켰다. 우리는 그녀에게로 가서, 그는 그녀에게 소리쳤다. 그녀는 매우 고마워했다.

10 주절(our individual ~ own control)의 내용과 대조되는 내용을 연결하므로 양보의 접속사 although(비록 ~일지라도)가 적절하다.
contribute: ~의 원인이 되다, 기여하다
organization: 구조, 조직

해석 비록 개인의 행동이 사회적 문제의 원인이 되기도 하지만 우리의 개인적 경험은 종종 우리의 통제 범위를 넘어선다. 그것들은 사회 전반, 즉 사회의 역사적 발달과 구조에 의해 결정된다.

11 be forced to는 '~하도록 강요당하다' 즉 '~해야만 하다'라는 뜻이므로 밑줄 친 부분도 과거의 의무를 나타내는 had to로 바꿔 쓸 수 있다.
collapse: (사업에) 실패하다, 붕괴되다
해석 Boole은 아버지의 사업이 실패한 후 16세의 나이에 학교를 그만두어야 했다.

12 ④ '학습한' 시점이 과거 특정 시점(forced)보다 더 이전에 일어난 일을 표현하므로 과거완료(had + 과거분사) 형태로 고쳐야 한다.
reexamine: 재검토하다 / run: 운영하다
해석 Simon은 그가 회사를 경영하는 방법에 대해 배웠던 거의 모든 교훈을 재검토하도록 강요하는 장면을 보았다.

13 과거를 반대로 가정하므로 'I wish + 가정법 과거완료(주어 + had + 과거분사)' 표현을 쓴다. 시간의 관계부사 when은 those first days를 수식한다.
해석 다른 사람들이 너무 바빠 보였던 사무실에서의 첫날들에 내가 무엇을 해야 할지 알았더라면 좋았을 텐데.

14 문맥상 may가 추측을 나타내므로 are perhaps(아마도 ~일 것이다)와 바꿔 쓸 수 있다.
poisoning: 중독 / wild mushroom: 야생버섯
dangerous: 위험한 / confuse: 혼동하다
poisonous: 독이 있는 / edible: 식용의 / variety: 품종
해석 중독을 일으킬 수 있는 많은 산림 식물 중에서 야생버섯은 가장 위험한 것들 중의 하나일지도 모른다. 이는 사람들이 종종 독성이 있는 품종과 먹을 수 있는 품종을 혼동하기 때문이다.

15 주어인 The one grand prize winner는 미래에 '선택될' 것이므로 수동태의 미래형(will be + 과거분사)으로 고쳐야 한다.
해석 Radio Music Festival 팀이 상위 다섯 개의 디자인을 선택할 것입니다. 대상 수상자 한 명은 온라인 투표를 통해 선택될 것입니다.

16 don't have to: ~할 필요가 없다
dust: 먼지 / eyelash: 속눈썹
해석 물고기는 물속에서 살기 때문에 먼지에 대해 걱정할 필요가 없다. 그래서 그들은 속눈썹이 필요하지 않다!

17 'as though + 주어 + had + 과거분사'는 '마치 ~였던 것처럼'의 뜻으로 주절보다 앞선 시점의 사실을 반대로 가정하는 문장이다. as though 이하 내용으로 보아 그가 광고 회사에서 일하지 않았음을 알 수 있다.
해석 Sean은 광고 회사에서 일했던 것처럼 말한다.

18 unless = if ~ not: ~하지 않으면
해석 누군가가 그것을 실행에 옮기지 않는 한 당신의 과학적인 조사는 쓸모가 없다.

19 award는 '수여하다'라는 뜻이므로, 수동태가 되면 '수여받다'라는 의미가 된다. 따라서 '~을 받았다'라는 뜻의 received를 쓴 ①과 수여동사 give의 수동태 표현인 ④가 의미가 같은 문장이다.
encouragement: 격려 / award: (상을) 수여하다
promising: 유망한
해석 Angela가 어렸을 때, 그녀는 그녀의 노력에도 불구하고 그녀의 성취에 항상 실망했다. 하지만 그녀의 엄마는 그녀에게 열심히 노력하는 것이 더욱 중요하다고 말했다. 그녀의 엄마의 격려 덕분에, 그녀는 최선을 다했다. 수년이 지나서, Angela는 가장 전도유망한 어린 연구자에게 주어지는 New Directions Fellowship 상을 수여받았다.

20 미래에 실현 가능성이 희박한 일을 가정하므로, 'if + S + should + 동사원형' 형태를 쓴다.
해석 이 유리컵은 깨질 리가 없습니다. 혹시라도 이것이 깨진다면, 전액 환불해 드리겠습니다.

Picture Puzzle 62쪽

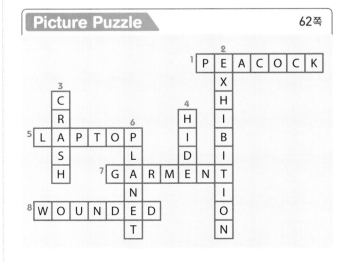

어휘
모아 보기

어휘 모아 보기 활용 안내

💎 7일간 학습한 **일별 어휘** 한꺼번에 확인하기!

💎 **어휘 테스트**를 통해 **한 번 더** 체크하기!

1일

☐ bring back to life 되살리다

☐ clinically 임상적으로

☐ consumer 소비자

☐ device 기기

☐ diabetes 당뇨병

☐ exhibition 전시, 전시회

☐ feel down 기분이 좋지 않다

☐ flexibility 융통성

☐ grocery store 식료품점

☐ hardship 역경, 어려움

☐ hide 숨다, 숨기다

☐ hunger 기아, 배고픔

☐ management 관리, 조절

☐ native language 모국어

☐ negative 부정적인

☐ normal 정상인, 평범한

☐ overcome 극복하다

☐ peacock 공작새

☐ philosopher 철학자

☐ promise 약속하다

☐ rapid 급속한, 빠른

☐ respond 대응하다

☐ sound wave 음파

☐ trust 믿다, 신뢰하다

☐ unfortunately 불행하게도

☐ variety 다양성

2일

☐ admit 인정하다

☐ arm 무장시키다

☐ blend in 섞이다, 조화를 이루다

☐ consult 상담하다

☐ courageous 용감한

☐ creep 기어가다

☐ deaf 청각 장애가 있는

☐ decision 결정

☐ determined 결심한

☐ dumb 말을 못하는

☐ creep 기어가다

☐ escape 피하다, 탈출하다

☐ experience 경험

☐ express 표현하다

☐ failure 실패

☐ guideline 가이드라인, 안내지침

☐ habit 습관

☐ head 향하다

☐ immediately 즉시

☐ pedestrian 보행자

☐ pleased 기쁜

☐ policy 정책

☐ safety 안전

☐ settle 정착하다

☐ solar power 태양열 발전

- ☐ **volunteer** 자원하다
- ☐ **wounded** 부상당한

3일

- ☐ **acknowledge** 인정하다
- ☐ **annually** 연간으로
- ☐ **artificial intelligence** 인공 지능(AI)
- ☐ **bloodstream** 혈류, 혈액 순환
- ☐ **carry out** 진행하다, 실시하다
- ☐ **competition** 경쟁
- ☐ **evolve** 진화하다
- ☐ **expose** 노출시키다
- ☐ **genetic engineering** 유전 공학
- ☐ **gland** 분비선
- ☐ **global** 세계적인, 전 세계의

- ☐ **ground** 땅, 지반
- ☐ **heavy rain** 폭우
- ☐ **Infrared radiation** 적외선
- ☐ **millennium** 천 년, 밀레니엄
- ☐ **popularity** 인기
- ☐ **registration** 등록
- ☐ **resistant** 저항력 있는, ~에 강한
- ☐ **shelter** 주거지, 보호소
- ☐ **struggle** 고군분투하다
- ☐ **technology** 기술
- ☐ **to date** 지금까지
- ☐ **translate** 번역하다
- ☐ **turn out** ~이 밝혀지다
- ☐ **undertake** 착수하다
- ☐ **underwater** 수중의

4일

- ☐ **complete** 완성하다, 채우다
- ☐ **consent** 찬성, 만족
- ☐ **dry-clean** 드라이클리닝하다
- ☐ **enclose** 동봉하다
- ☐ **entire** 전체의
- ☐ **exhibit** 보이다, 드러내다
- ☐ **garment** 의류
- ☐ **get fired** 해고되다
- ☐ **give up** 포기하다
- ☐ **immunity-booster** 면역력 촉진제
- ☐ **invisible** 보이지 않는
- ☐ **laptop** 휴대용 컴퓨터
- ☐ **manipulate** 조종하다
- ☐ **on time** 정각에
- ☐ **permission** 허락
- ☐ **physics** 물리

☐ **planet** 행성

☐ **politely** 정중하게

☐ **protect** 보호하다

☐ **recognize** 인정하다

☐ **register** 등록하다

☐ **regular** 규칙적인

☐ **responsible** 책임이 있는

☐ **silence** 침묵

☐ **thousands of** 수천의

☐ **watch one's language** 말을 조심하다

5일

☐ **absorb** 받아들이다, 흡수하다

☐ **as soon as** ~하자마자

☐ **atom** 원자

☐ **at once** 동시에

☐ **breathe** 숨 쉬다

☐ **cancel** 취소하다

☐ **crash** 충돌하다

☐ **discovery** 발견

☐ **fault** 잘못, 실수

☐ **have no choice but to** ~할 수밖에 없다

☐ **immune system** 면역 체계

☐ **in case** ~인 경우에 대비해서

☐ **in stock** 재고가 있는

☐ **let it go** 내버려 두다

☐ **lie** 눕다(-lay-lain)

☐ **messy** 지저분한, 엉망인

☐ **multitask** 여러 가지 일을 동시에 하다

☐ **orphan** 고아로 만들다

☐ **oxygen** 산소

☐ **predict** 예측하다

☐ **proposal** 제안서

☐ **release** 방출하다, 내보내다

☐ **subject** 주제, 문제

☐ **survive** 살아남다

☐ **unless** ~하지 않는다면

☐ **while** 반면에

6일

☐ **accommodate** 수용하다

☐ **assume** 추정하다

☐ **benefit** 이익

☐ **billionaire** 억만장자, 갑부

☐ **compliment** 칭찬

☐ **comprehension** 이해력

☐ **controversial** 논란이 많은

☐ **decorate** 장식하다

☐ **demand** 요구

☐ **go away** 사라지다

☐ lonely 외로운

☐ manufacture 제조하다

☐ measure 측정하다

☐ method 방법

☐ mutual 상호간의

☐ now and again 이따금, 때때로

☐ reason 이유

☐ rescue 구조

☐ routine (판에 박힌) 일상

☐ scent 냄새, 향기

☐ self-interest 자신의 이익, 이기심

☐ slide 미끄러지다

☐ stick 고수하다, 집착하다

☐ strategy 전략

☐ surrender 굴복하다

☐ vividly 생생하게

7일

☐ abandon 포기하다

☐ advanced 진화된

☐ aggressive 공격적인

☐ assistance 원조, 도움

☐ attention 주의력

☐ cognition 인식, 인지

☐ command 명령하다

☐ constraint 제한, 제약

☐ cope with ~에 대처하다

☐ decrease 감소하다

☐ defend 방어하다

☐ disturbed 매우 불안해하는

☐ dust 먼지

☐ enhance 향상시키다

☐ instinct 본능

☐ intense 강렬한, 극심한

☐ loyalty 충성심

☐ master's degree 석사 학위

☐ merit badge 칭찬 배지

☐ modify 수정하다

☐ muscle 근육

☐ patience 인내심

☐ poisonous 독성이 있는

☐ reliable 믿을 만한

☐ ritual 의식

☐ substitute 대체물

1일 영어는 우리말로, 우리말은 영어로 쓰세요.

01	peacock	21	음파
02	management	22	융통성
03	rapid	23	약속하다
04	device	24	식료품점
05	feel down	25	숨다, 숨기다
06	variety	26	불행하게도
07	diabetes	27	부정적인
08	respond	28	대응하다
09	bring back to life	29	역경, 어려움
10	native language	30	다양성
11	trust	31	극복하다
12	negative	32	기아, 배고픔
13	unfortunately	33	기기
14	consumer	34	급속한, 빠른
15	grocery store	35	관리, 조절
16	flexibility	36	공작새
17	sound wave	37	정상인, 평범한
18	clinically	38	철학자
19	exhibition	39	전시, 전시회
20	philosopher	40	임상적으로

2일 영어는 우리말로, 우리말은 영어로 쓰세요.

01	determined	21	부상당한
02	pleased	22	무장시키다
03	creep	23	청각 장애가 있는
04	arm	24	용감한
05	pedestrian	25	기어가다
06	deaf	26	결정
07	wounded	27	피하다, 탈출하다
08	consult	28	경험
09	blend in	29	표현하다
10	failure	30	실패
11	safety	31	가이드라인, 안내지침
12	courageous	32	습관
13	admit	33	향하다
14	volunteer	34	즉시
15	settle	35	보행자
16	immediately	36	정책
17	solar power	37	안전
18	express	38	말을 못하는
19	escape	39	정착하다
20	head	40	인정하다

3일 영어는 우리말로, 우리말은 영어로 쓰세요.

01	artificial intelligence		21	인정하다	
02	turn out		22	연간으로	
03	struggle		23	인공 지능(AI)	
04	expose		24	혈류, 혈액 순환	
05	registration		25	경쟁	
06	gland		26	노출시키다	
07	carry out		27	유전 공학	
08	annually		28	세계적인, 전 세계의	
09	genetic engineering		29	땅, 지반	
10	popularity		30	적외선	
11	acknowledge		31	천 년, 밀레니엄	
12	resistant		32	인기	
13	infrared radiation		33	등록	
14	shelter		34	저항력 있는, ~에 강한	
15	to date		35	주거지, 보호소	
16	evolve		36	고군분투하다	
17	undertake		37	기술	
18	millennium		38	번역하다	
19	heavy rain		39	착수하다	
20	bloodstream		40	수중의	

4일 영어는 우리말로, 우리말은 영어로 쓰세요.

01	complete	_____	21	침묵	_____
02	dry-clean	_____	22	찬성, 만족	_____
03	entire	_____	23	동봉하다	_____
04	exhibit	_____	24	전체의	_____
05	garment	_____	25	허락	_____
06	get fired	_____	26	행성	_____
07	give up	_____	27	보이지 않는	_____
08	immunity-booster	_____	28	휴대용 컴퓨터	_____
09	invisible	_____	29	조종하다	_____
10	laptop	_____	30	정각에	_____
11	manipulate	_____	31	등록하다	_____
12	permission	_____	32	물리	_____
13	physics	_____	33	인정하다	_____
14	politely	_____	34	정중하게	_____
15	protect	_____	35	보호하다	_____
16	regular	_____	36	책임이 있는	_____
17	recognize	_____	37	규칙적인	_____
18	silence	_____	38	면역력 촉진제	_____
19	thousands of	_____	39	의류	_____
20	watch one's language	_____	40	완성하다, 채우다	_____

5일 영어는 우리말로, 우리말은 영어로 쓰세요.

01	while	21	받아들이다
02	orphan	22	숨 쉬다
03	at once	23	취소하다
04	let it go	24	충돌하다
05	lie	25	발견
06	immune system	26	잘못, 실수
07	absorb	27	면역 체계
08	release	28	~인 경우에 대비해서
09	oxygen	29	재고가 있는
10	survive	30	내버려 두다
11	breathe	31	지저분한, 엉망인
12	fault	32	여러 가지 일을 동시에 하다
13	multitask	33	고아로 만들다
14	in stock	34	예측하다
15	proposal	35	제안서
16	messy	36	방출하다, 내보내다
17	as soon as	37	주제, 문제
18	unless	38	살아남다
19	have no choice but to	39	원자
20	in case	40	반면에

6일 영어는 우리말로, 우리말은 영어로 쓰세요.

01	comprehension		21	방법	
02	manufacture		22	억만장자, 갑부	
03	lonely		23	이익	
04	benefit		24	구조	
05	routine		25	제조하다	
06	accommodate		26	전략	
07	stick		27	(판에 박힌) 일상	
08	slide		28	수용하다	
09	go away		29	추정하다	
10	billionaire		30	상호간의	
11	mutual		31	자신의 이익, 이기심	
12	self-interest		32	생생하게	
13	now and again		33	논란이 많은	
14	controversial		34	장식하다	
15	decorate		35	굴복하다	
16	surrender		36	칭찬	
17	vividly		37	냄새, 향기	
18	measure		38	이해력	
19	scent		39	미끄러지다	
20	method		40	측정하다	

7일 영어는 우리말로, 우리말은 영어로 쓰세요.

01 intense _____

02 cope with _____

03 patience _____

04 decrease _____

05 muscle _____

06 command _____

07 disturbed _____

08 reliable _____

09 cognition _____

10 master's degree _____

11 constraint _____

12 merit badge _____

13 modify _____

14 abandon _____

15 substitute _____

16 enhance _____

17 ritual _____

18 advanced _____

19 poisonous _____

20 assistance _____

21 원조, 도움 _____

22 강렬한, 극심한 _____

23 먼지 _____

24 인내심 _____

25 감소하다 _____

26 충성심 _____

27 명령하다 _____

28 매우 불안해하는 _____

29 포기하다 _____

30 대체물 _____

31 향상시키다 _____

32 본능 _____

33 수정하다 _____

34 진화된 _____

35 방어하다 _____

36 주의력 _____

37 공격적인 _____

38 ~에 대처하다 _____

39 인식, 인지 _____

40 제한, 제약 _____

어휘 테스트 정답

1일

01 공작새 02 관리, 조절 03 급속한, 빠른 04 기기
05 기분이 좋지 않다 06 다양성 07 당뇨병 08 대응
하다 09 되살리다 10 모국어 11 믿다, 신뢰하다
12 부정적인 13 불행하게도 14 소비자 15 식료품점
16 융통성 17 음파 18 임상적으로 19 전시, 전시회
20 철학자 21 sound wave 22 flexibility
23 promise 24 grocery store 25 hide
26 unfortunately 27 negative 28 respond
29 hardship 30 variety 31 overcome
32 hunger 33 device 34 rapid
35 management 36 peacock 37 normal
38 philosopher 39 exhibition 40 clinically

2일

01 결심한 02 기쁜 03 기어가다 04 무장시키다
05 보행자 06 청각 장애가 있는 07 부상당한 08 상
담하다 09 섞이다, 조화를 이루다 10 실패 11 안전
12 용감한 13 인정하다 14 자원하다 15 정착하다
16 즉시 17 태양열 발전 18 표현하다 19 피하다, 탈
출하다 20 향하다 21 wounded 22 arm
23 deaf 24 courageous 25 creep
26 decision 27 escape 28 experience
29 express 30 failure 31 guideline 32 habit
33 head 34 immediately 35 pedestrian
36 policy 37 safety 38 dumb 39 settle
40 admit

3일

01 인공 지능(AI) 02 ~이 밝혀지다 03 고군분투하다
04 노출시키다 05 등록 06 분비선 07 진행하다, 실
시하다 08 연간으로 09 유전 공학 10 인기
11 인정하다 12 저항력 있는, ~에 강한 13 적외선
14 주거지, 보호소 15 지금까지 16 진화하다 17 착수
하다 18 천년, 밀레니엄 19 폭우 20 혈류, 혈액 순환
21 acknowledge 22 annually 23 artificial
intelligence 24 bloodstream 25 competition
26 expose 27 genetic engineering 28 global
29 ground 30 infrared radiation 31 millennium
32 popularity 33 registration 34 resistant
35 shelter 36 struggle 37 technology
38 translate 39 undertake 40 underwater

4일

01 완성하다, 채우다 02 드라이클리닝하다 03 전체의
04 보이다, 드러내다 05 의류 06 해고되다 07 포기
하다 08 면역력 촉진제 09 보이지 않는 10 휴대용 컴
퓨터 11 조종하다 12 허락 13 물리 14 정중하게
15 보호하다 16 규칙적인 17 인정하다 18 침묵
19 수천의 20 말을 조심하다 21 silence
22 consent 23 enclose 24 entire
25 permission 26 planet 27 invisible
28 laptop 29 manipulate 30 on time
31 register 32 physics 33 recognize
34 politely 35 protect 36 responsible
37 regular 38 immunity-booster 39 garment
40 complete

5일

01 반면에   02 고아로 만들다   03 동시에   04 내버려두다   05 눕다   06 면역 체계   07 받아들이다, 흡수하다
08 방출하다, 내보내다   09 산소   10 살아남다
11 숨 쉬다   12 잘못, 실수   13 여러 가지 일을 동시에 하다   14 재고가 있는   15 제안서   16 지저분한, 엉망인
17 ~하자마자   18 ~하지 않는다면   19 ~할 수밖에 없다
20 ~인 경우에 대비해   21 absorb   22 breathe
23 cancel   24 crash   25 discovery   26 fault
27 immune system   28 in case   29 in stock
30 let it go   31 messy   32 multitask
33 orphan   34 predict   35 proposal
36 release   37 subject   38 survive   39 atom
40 while

6일

01 이해력   02 제조하다   03 외로운   04 이익
05 (판에 박힌) 일상   06 수용하다   07 고수하다, 집착하다
08 미끄러지다   09 사라지다   10 억만장자, 갑부
11 상호간의   12 자신의 이익, 이기심   13 이따금, 때때로
14 논란이 많은   15 장식하다   16 굴복하다   17 생생하게   18 측정하다   19 냄새, 향기   20 방법
21 method   22 billionaire   23 benefit
24 rescue   25 manufacture   26 strategy
27 routine   28 accommodate   29 assume
30 mutual   31 self-interest   32 vividly
33 controversial   34 decorate   35 surrender
36 compliment   37 scent   38 comprehension
39 slide   40 measure

7일

01 강렬한, 극심한   02 ~에 대처하다   03 인내심
04 감소하다   05 근육   06 명령하다   07 매우 불안해하는   08 믿을 만한   09 인식, 인지   10 석사 학위
11 제한, 제약   12 칭찬 배지   13 수정하다   14 포기하다   15 대체물   16 향상시키다   17 의식   18 진화된
19 독성이 있는   20 원조, 도움   21 assistance
22 intense   23 dust   24 patience   25 decrease
26 loyalty   27 command   28 disturbed
29 abandon   30 substitute   31 enhance
32 instinct   33 modify   34 advanced
35 defend   36 attention   37 aggressive
38 cope with   39 cognition   40 constraint

핵심정리 01 관계대명사(주격, 목적격)

- 관계대명사절은 앞의 명사(선행사)를 수식하고, 선행사는 생략할 수 없다.

- 주격 관계대명사 who, which, that 뒤에는 [❶]가 이어진다.

- 목적격 관계대명사 who(m), which, that 뒤에는 [❷]와 동사가 이어진다.

- 목적격 관계대명사와 '주격 관계대명사 + be동사'는 생략할 수 있다.

주격 관계대명사와 목적격 관계대명사 뒤에는 불완전한 문장이 와요!

답 ❶ 동사 ❷ 주어

핵심정리 02 관계대명사(소유격), 전치사+관계대명사

- 소유격 관계대명사 whose 뒤에는 소유격의 수식을 받는 [❶]가 따라온다.

- 소유격 관계대명사(whose)는 선행사가 **사람이나 사물**일 때 모두 사용할 수 있다.

- '전치사 + 관계대명사'에서 관계대명사는 [❷]의 목적어 역할을 한다.

소유격 관계대명사와 '전치사 + 관계대명사'의 뒤에는 완전한 문장이 와요!

답 ❶ 명사 ❷ 전치사

핵심정리 03 관계부사 when, where

- 관계부사 뒤에는 [❶] 문장이 이어진다.

- 선행사가 시간을 나타낼 때 관계부사 when을 쓴다.

- 선행사가 장소를 나타낼 때 관계부사 [❷]를 쓴다.

선행사	관계부사	전치사 + 관계대명사
시간 the time	when	at / in /on which
장소 the place	where	

- 선행사가 the time, the place일 때 관계부사 또는 선행사를 생략하기도 한다.

관계부사 when과 where 대신 that을 쓸 수 있어요!

답 ❶ 완전한 ❷ where

핵심정리 04 관계부사 why, how

- 선행사가 이유를 나타낼 때 관계부사 [❶]를 쓴다.

- 선행사가 방법을 나타낼 때 관계부사 [❷]를 쓴다.

- 선행사가 방법을 나타내는 the way일 때, the way와 how는 함께 쓰지 않는다.

선행사	관계부사	전치사 + 관계대명사
이유 the reason	why	for which
방법 (the way)	how	in which

답 ❶ why ❷ how

○ 다음 우리말과 같도록 빈칸에 알맞은 말을 쓰시오.

1 사무실 화초가 죽은 의사에게 가지 마라.
   ➡ Never go to a doctor [   ] office
   plants have died.

2 그들은 어렸을 때 살았던 마을을 그리워한다.
   ➡ They miss the village in [   ] they
   lived as children.

3 공작새는 꼬리가 부채처럼 펼쳐지는 새이다.
   ➡ Peacocks are birds [   ] tails spread
   out like a fan.

답 1 whose 2 which 3 whose

○ 다음 문장의 네모에서 알맞은 말을 고르시오.

1 He sat down in a chair [which / who] looked
   comfortable.

2 I can't remember the man [which / whom] I
   met at the party.

3 Inner beauty is [what / that] I cherish.

답 1 which 2 whom 3 what

○ 다음 문장의 네모에서 알맞은 말을 고르시오.

1 Tell me the reason [why / how] you are late
   for school today.

2 This is [how / the way how] I overcame
   hardships.

3 Technology changes [the way how /
   the way] we talk.

답 1 why 2 how 3 the way

○ 다음 문장의 빈칸에 알맞은 관계부사를 쓰시오.

1 I miss the days [   ] I had a smile on
   my face.

2 Do you remember the place [   ] we
   first met?

3 There was no place [   ] I could hide.

답 1 when 2 where 3 where

자르는 선

핵심정리 05 to부정사의 부사적 용법

• to부정사는 문장 내에서 [❶   ] 로 쓰여, 문장 전체를 수식할 수 있다.

• to부정사는 [❷   ] 를 수식하여 판단의 근거 또는 감정의 원인을 나타낼 수 있다.

• to부정사의 다양한 의미

목적	~하기 위해 (= in order to)
감정의 원인	~해서
판단의 근거	~ 하다니
결과	그 결과 ~하다

답 ❶ 부사 ❷ 형용사

핵심정리 06 to부정사구의 관용적 표현

• 형용사 / 부사 + enough + [❶   ] : ~할 만큼 충분히 …한 / 하게

• too + 형용사 / 부사 + to부정사: ~하기에는 너무 …한 / …하게

• 관용적 표현

to be sure	확실히
to begin with	우선
to tell the truth	솔직히 말하면
needless [❷]	말할 필요도 없이

답 ❶ to부정사 ❷ to say

핵심정리 07 분사구문

• 현재분사([❶   ] + -ing)로 시작하는 부사구로, 주절의 의미를 보충해 준다.

• 분사구문은 문맥에 따라 다양한 의미로 해석된다.

시간: ~할 때   이유: ~하기 때문에

조건: ~한다면   양보: 비록 ~에도 불구하고

동시동작: [❷   ]   연속동작: ~하고 나서 …하다

• 절을 분사구문으로 만드는 법

1. 부사절의 접속사 생략	~~When I heard the news.~~
2. 부사절의 주어 생략 (주절의 주어와 같을 때)	**Hearing** the news, I was very surprised.
3. 동사를 현재분사로 바꾸기	

Tip : 분사구문의 의미를 분명히 하기 위해 분사구문 앞에 접속사를 붙이기도 해요!

답 ❶ 동사원형 ❷ ~하면서

핵심정리 08 수동 분사구문, 완료 분사구문

• 수동 분사구문: '(Being+)과거분사 ~'는 [❶   ] 의미를 표현한다.

• 완료 분사구문: 주절보다 먼저 일어난 일을 표현할 때, '[❷   ] + 과거분사'의 형태로 쓴다.

	단순 분사구문	완료 분사구문
능동태	현재분사 ~	Having + 과거분사 ~
수동태	Being + 과거분사	Having been + 과거분사 ~

• 분사구문의 주어가 주절의 주어와 다른 경우, 분사구문 앞에 주어를 표시한다.

답 ❶ 수동 ❷ Having

○ 다음 우리말과 같도록 빈칸에 알맞은 말을 쓰시오.

1 내 아이는 좋은 결정을 내릴 만큼 충분히 나이가 들었다.

➡ My child is old ☐ to make a good decision.

2 밖에 나가기에는 너무 늦은 것 같다.

➡ I think it's ☐ late to go outside.

3 솔직히 말해서 정직이 항상 최선의 방책은 아닐지도 모른다.

➡ ☐ , honesty may not be always the best policy.

답 1 enough 2 too 3 To tell the truth

○ 다음 우리말의 빈칸에 알맞은 말을 쓰시오.

1 I went to Jeonju to visit my parents.

➡ 나는 부모님 댁을 ☐ 전주에 갔다.

2 I'm so glad to meet you today.

➡ 오늘 너를 ☐ 참 반가워.

3 He was courageous to admit his fault.

➡ 그가 자신의 잘못을 ☐ 용감했다.

답 1 방문하기 위해 2 만나서 3 인정하다니

○ 다음 밑줄 친 부분을 분사구문으로 고쳐 쓰시오.

1 <u>Because I was wounded in my right arm</u>, I couldn't write at all.

➡ ☐ , I couldn't write at all.

2 <u>After she had finished her work</u>, she turned off the computer.

➡ ☐ , she turned off the computer.

답 1 (Being) Wounded in my right arm
2 Having finished her work

○ 다음 두 문장의 뜻이 같도록 빈칸에 알맞은 말을 쓰시오.

1 He had lunch while he was listening to music.

➡ He had lunch while ☐ to music.

2 Because she got up too late, she was late for school.

➡ ☐ up too late, she was late for school.

답 1 listening 2 Getting

자르는 선

핵심정리 09 완료

- 현재완료(have/has + [①]): 현재까지의 완료, 경험, 계속, 결과를 나타낸다.

- 현재완료와 자주 쓰이는 표현

완료	(막, 이미) ~했다	already (이미) just(막), yet(아직)
경험	~한 적이 있다	ever, never
계속	(지금까지) 계속 ~해왔다	for(~동안) since(~ 이후로)
결과	~한 결과 …이다	have lost(잃어버리다) have gone(가 버리다)

- 과거완료(had + 과거분사): 과거의 특정 시점까지의 완료, 경험, 계속, 결과, 또는 과거의 특정 시점보다 [②] 일어난 일을 나타낸다.

답 ① 과거분사 ② 이전에

핵심정리 10 완료진행형

- 진행형(be동사 + [①])은 현재, 과거, 미래의 특정 시점에 진행 중인 동작(~하고 있다 / 있었다 / 있을 것이다)을 나타낸다.

- 주어와 시제에 따라 [②]의 형태가 달라진다.

- 미래의 특정 시점에 진행 중인 동작(~하고 있을 것이다) 또는 그 시점까지 계속되는 동작을 나타낸다.

현재완료 진행형	have(has) been V-ing
과거완료 진행형	had+been V-ing
미래완료 진행형	will(shall) have been V-ing

답 ① 현재분사 ② be동사

핵심정리 11 수동태

- 목적어를 필요로 하는 [①]만 수동태인 'be동사 + 과거분사 + (by + 행위자)'로 쓸 수 있다.

- by 이외의 전치사를 쓰는 수동태

be known for	~으로 유명하다
be known to	~에게 알려지다
be covered with	~로 덮여 있다
be satisfied with	~에 만족하다

- '~되다/받다'라고 해석되며, 주어와 시제에 따라 be동사의 형태가 달라진다.

- 수동태는 동작에 영향을 받는 대상이 [②]가 된다.

답 ① 타동사 ② 주어

핵심정리 12 수동태 문장의 응용

- 진행수동태: be동사 + [①] + 과거분사 (~되고 있다)

- 완료수동태: have[has]/had + [②] + 과거분사 (~되어 왔다)

- 지각동사 / 사역동사의 목적격보어로 동사원형이 쓰인 경우, 수동태 문장에서는 to부정사로 바꿔 쓴다.

사역동사 let과 have는 수동태로 쓰지 않아요!

답 ① being ② been

○ 다음 우리말의 빈칸에 알맞은 말을 쓰시오.

1 In West Jakarta, the ground is sinking by about 15cm annually.

➡ West Jakarta에서는 지반이 연간 15cm 정도까지 [   ].

2 The Williams have been living in Oxford for six years.

➡ William 일가는 옥스포드에서 6년째 [   ].

3 You will have been studying English for five years by next March.

➡ 이번 3월로 너는 영어를 5년 동안 [   ].

답 **1** 내려앉고 있다 **2** 살아오고 있다 **3** 공부한 셈이 될 것이다

○ 다음 밑줄 친 부분에 유의하여 우리말의 빈칸에 알맞은 말을 쓰시오.

1 Artificial Intelligence <u>has arrived</u> in the workplace.

➡ 인공지능이 업무 현장에 [   ].

2 He was reading the book I <u>had bought</u> for him.

➡ 그는 내가 그에게 [   ] 책을 읽고 있었다.

3 Since the new millennium, businesses <u>have experienced</u> more global competition.

➡ 뉴 밀레니엄 시대 이후, 기업들은 더 많은 국제적 경쟁을 [   ].

답 **1** 도달했다 **2** 사주었던 **3** 경험해 왔다

○ 다음 네모에서 알맞은 말을 고르시오.

1 My favorite music is been played / being played on the radio now.

2 The book has / has been translated into several languages.

3 He was made / made to clean his room by his mother.

답 **1** being played **2** has been **3** made to

○ 다음 우리말과 같도록 네모에서 알맞은 말을 고르시오.

1 적외선은 태양에 의해 생성된다.

➡ Infrared radiation produced / is produced by the Sun.

2 라돈과 엑스레이는 마리 퀴리에 의해 발견되었다.

➡ Radon and X-rays discovered / were discovered by Marie Curie.

답 **1** is produced **2** were discovered

핵심정리 13 가정법 if

- 가정법 과거: 'If + 주어 + [❶   ] ~, 주어 + 조동사의 과거형 + 동사원형 …' (만약 ~라면, …할 텐데)

- 가정법 과거완료: 'If + 주어 + [❷   ] ~, 주어 + 조동사의 과거형 + have + 과거분사 …' (만약 ~했더라면, …했을 텐데)

- 혼합가정법: 'If + 주어 + had + 과거분사 ~, 주어 + 조동사의 과거형 + 동사원형 …' (만약 ~했더라면, …할 텐데)

> **Tip**
> 가정법 과거는 **현재 사실**을 **반대**로 가정할 때 쓰고, 가정법 현재는 현재 상황에 따라 **실현 가능한 일**을 가정해요!

답 ❶ 동사의 과거형 ❷ had + p.p.

핵심정리 14 가정법: should/were to, I wish

- If + 주어 + [❶   ] + 동사원형 ~: 미래에 실현 가능성이 희박한 가정

- I wish + 가정법 과거: [❷   ]의 실현 불가능한 소망

- I wish + 가정법 과거완료: 과거 사실에 반대되는 소망

> **Tip**
> Without + 가정법 과거: ~이 없다면
> as if (as though) + 가정법 과거: 마치 ~인 것처럼

답 ❶ should 또는 were to ❷ 현재

핵심정리 15 조동사

- can: ~할 수 있다(능력·가능), ~해도 된다(허가), ~일지도 모른다(추측)
  - ※ could는 can보다 [❶   ]이나 추측

- may: ~일지도 모른다(약한 추측), ~해도 된다(허가)
  - ※ might는 may보다 더 불확실한 추측

- must: ~해야 한다(의무 = have to)
  - [❷   ](강한 추측)

- must not[=mustn't]: ~해서는 안 된다(금지)
  - *cf.* don't have to: ~할 필요가 없다

- should: ~해야 한다(의무), ~하는 것이 좋다(충고, 제안)

답 ❶ 정중한 부탁 ❷ ~임에 틀림없다

핵심정리 16 부사절 접속사

- 시간, 조건, 목적의 부사절 접속사

시간	when(~할 때), while(~하는 동안), since(~한 이래로), until(~할 때까지), as(~하면서), as soon as([❶])
조건	조건: if(~한다면), unless([❷]) in case(~인 경우에 대비해서)
목적	so that/in order that(~하기 위해서/~하도록)

- 이유, 양보·대조, 결과의 부사절 접속사

이유	because/as/since(~하기 때문에)
양보·대조	although/(even) though(비록 ~일지라도), while(~인 반면에)
목과	so + 형용사/부사 + that ~ such + a(n) + (형용사+) + 명사 + that ~ (매우 ~하여 …하다)

답 ❶ ~하자마자 ❷ ~하지 않는다면

○ 다음 우리말의 빈칸에 알맞은 말을 쓰시오.

1 If you should have any trouble, please let me know.

➡ 혹시라도 문제가 [   ], 저에게 알려주세요.

2 I wish you would get there on time.

➡ 네가 그곳에 제시간에 [   ] 좋을 텐데.

3 I wish someone had found your note.

➡ 누군가 너의 메모를 [   ] 좋았을 텐데.

답 1 생긴다면 2 도착하면 3 발견했더라면

○ 다음 우리말과 같도록 빈칸에 알맞은 말을 쓰시오.

1 만약 내가 너라면, 나는 그와 다투지 않을 텐데.

➡ If I [   ] you, I wouldn't argue with him.

2 만약 네가 일찍 일어나지 않았다면, 너는 시험을 놓쳤을지도 모른다.

➡ If you [   ] up early, you might have missed the exam.

3 만약 그가 더 열심히 공부했다면, 그는 지금 여기 있지 않을 거야.

➡ If he [   ] harder, he wouldn't be here now.

답 1 were 2 hadn't woken(gotten) 3 had studied

○ 다음 빈칸에 알맞은 말을 〈보기〉에서 쓰시오.

1 Why don't you take a walk with me [   ] you're tired?

2 I'll wait for you [   ] you come home.

3 [   ] the soccer team lost the game, they were not disappointed.

4 The book was [   ] interesting that I couldn't stop reading it.

```
────────────────── 보기 ──────────────────
    until    so    although    unless
```

답 1 unless 2 until 3 Although 4 so

○ 우리말의 빈칸에 알맞은 말을 쓰시오.

1 I believe I can achieve my goal.

➡ 나는 내 목표를 [   ] 믿는다.

2 May I come in?

➡ 제가 안에 [   ]?

3 It may sound strange, but it's true.

➡ 그것은 이상하게 들릴지 [   ] 사실이다.

4 You must wait outside.

➡ 당신은 밖에서 [   ].

5 You shouldn't run around in the restaurant.

➡ 식당에서 [   ].

답 1 이룰 수 있다고 2 들어가도 될까요 3 모르지만 4 기다려야 한다
5 뛰어다니면 안 된다